쉼표의 입장

쉼표의 입장

김수인

진희원

브리에나 최

장해월

고마오

모든 사람의 인생은 한 편의 이야기나 다름이 없고, 그렇기에 반전이 존재한다고 했다. 읽는 사람이 손에 땀을 쥐게 될 정도로 흥미로운 어떤 전환점 말이다. 그렇다면 서가에 꽂힌 책이 기다리는 전환점이란 아마도 책을 사러 온 손님에게 팔리는 것이 아닐까.

축하한다. 이 책은 당신 덕분에 인생의 전환점을 얻었다. 그리고 감사한다. 당신은 이 책을, 먼지 낀 서고에 갇혀 단 한 권도 제대로 팔리지 못하고 쌓여만 가는 운명으로부터 구원해 주었다.

삶에도 전환점이 존재한다. 인간이 단 한 번뿐인 인생을 연기하기 위해 무대 위에 선 배우라면, 생은 수십 가지 이야기를 품은 채 조용히 침묵하는 단편집과 같다. 마침표가 찍힌 이야기도 있고, 쉼표에서 오래도록 숨을 고르고 있는 이야기도 있지만, 그럼에도 우리의 삶은 현재 진행형이다. 우리 앞에 두꺼운 막이 내려 암전되기 전까지는.

쉼 없는 혼돈 속에서 우리는 어떻게든 살아간다. '쉼표의 관점'은 삶에서 찾아낸 소중한 순간들을 돌이켜 살펴보는 책이다. 각자가 마주한 인생의 전환점 앞에서, 우리는 시간이 흘러가는 대로 무대장치에 끌려가는 대신 있는 힘껏 살아내 보기로 했다. 여섯 챕터에 걸쳐 펼쳐지는 여정에서 우리는 삶의 고비마다 흩어져 있는 작은 쉼표들이 주는 의미를 발견했다. 이 책을 통해 독자들이 각자의 삶을 조망하고, 순간을 깊이 있게 살아가는 방법을 고민하는 계기를 얻는다면, 글쓴이로서 그보다 보람된 일은 다시 없으리라.

- 공동저자 中 김수인

차 례

들어가며 · 4

김수인 **지난 날** · 9

진희원 **나만의 단계별 터닝포인트 방법** · 43

브리에나 최 **왜 걸어요?** · 63

장해월 **자기애의 삼각형 이론** · 85

고마오 **고슴도치의 롤러 스케이트** · 103

지난 날

김수인

김수인 부모님이 그랬듯 전라남도에서 출생신고를 했고, 한국외국어대학교 행정학과를 졸업했다. 광주 민주화운동이 일어났던 5월 18일에서 하루 먼저 태어났다. 취미는 영화 보기, 소설 읽기, 뮤지컬 감상, 글쓰기다.

instagram: @_e55a1

"오늘도 늦어요."

　가방을 내려놓자 전화 저편을 향해 대답하는 어머니의 목소리가 들렸다. 질문이 아닌 평서문에 가까운 담담한 목소리. 나는 어머니와 눈이 마주치지 않게 조심하며 거실을 가로질러 내 방으로 들어가 공부할 때 쓰는 나지막한 책장 앞으로 갔다. 난잡하게 쌓여 있던 입시 문제집과 참고서, 학원의 교육과정표 따위를 옆으로 치운 후 모의고사 성적표를 책상 위에 내려놓았다. 부끄러운 것도 없지만 나아진 것도 별로 없어 보이는 등급표가 별안간 식욕을 떨어뜨렸다. 식사와 공부와 잠, 생활이라 하기도 민망할 정도로 단조로운 하루를 반복하고 있는데도 생활과 윤리 점수가 조금 나아진 것을 위안으로 삼아야 할까. 나는 재수학원에 들어간 2월부터 도무지 변동이 없던 책상 달력을 세 장 넘겼다. 넘기는 페이지마다 펜 자국 하나 없이 깨끗했다. 기념할 만한 날이 없었다.

　요컨대 나는 내 손으로 난파시킨 인생의 잔해를 다시 이어 붙여보려 최선을 다해 시도하는 중이다. 수능 성적 발표날 사전채점에서 변동 사항이 없음을 통보하자, 어머니는 눈을 돌리고 살짝 한숨을 쉬었다. 아버지는 미간에 힘을 잔뜩 주고 말없이 나를 쳐다보았다. 오빠는 조그맣게 혀를 차며 자기 방으로 들어갔다. 한심하게 여기는 것도 적잖겠지만, 그보다는 영리한 줄만 알았던 동생이 그 자신이 겪었던 실수를 똑같이 되풀이한 것에 실망한 기색에 가까웠던 것 같다. 그로부터 3개월이 지난 지금 나는 학원에 다니는 재수생이다. 손위 형제가 입대한 다음 어머니는 식사만 준비해 주는 사람이 되었다. 아버지와는 거의 눈을 마주치지 않게 되었다.

통학용 학원버스가 아파트를 순회하는 시간보다 조금 더 일찍 집을 나서는 습관이 들었다. 매일 같이 날아오는, 보이지 않는 힐난을 피하기 위해서였다. 만일 조금 더 큼지막한 돌이 정숙한 자습실 천장을 뚫고 정수리 위로 떨어져 정통으로 파고들더라도 분명히 이 정도의 아픔은 느끼지 않았으리라. 모의고사가 끝난 다음 조금도 상승세를 타지 못한 가채점표를 들고 귀가할 때, 명백한 의도를 품고 올곧은 포물선을 그리며 날아든 비난은 꽤 아팠다. 피가 나지 않는 것이 신기할 정도였다. '네가 말해봐. 최선을 다했던 것 같니?' 어머니는 말하면서 나를 빤히 쳐다보았다. 입가는 웃음을 띠고 있었지만, 눈은 식은 차처럼 싸늘했다. 그 정도만 하지, 아버지는 그런 어머니를 건성으로 말렸지만, 당신 역시도 하고 싶은 말을 억누르느라 힘을 들였는지 입가에 주름이 움푹 패 있었다.

그래도 오늘은 돌이 덜 날아오겠구나. 나아지고 있으니 앞으로도 학업에 정진해야 한다, 그 정도 대답은 기대할 수 있겠지. 그렇게 생각하던 차에 아버지의 귀가는 예상보다 훨씬 늦어지고 있었다. 드문 일은 아니었다. 술을 즐기고 사람들과 어울리기 좋아하는 중년의 직장인이 으레 그렇듯. 더군다나 5월이 되면 아버지는 어머니에게조차도 좀처럼 가는 곳을 알리지 않고 기차를 타고 일찍 내려가 늦은 새벽에 귀가하곤 했다. 다만 익히 알고 있는 사실이 지친 뇌리 한편에 퉁명스러운 상념이 자리를 잡는 것을 완전히 막진 못했다. 혼날 일이 생기면 기다렸다는 듯이 집안에 계시던 분이 칭찬받을 일이 생기면 거짓말처럼 집을 비운다니.

나는 독서실 키 카드를 청바지 뒷주머니에 챙기곤 방문을 나섰다. 너희 아버지는 사람을 항상 기다리게 한단 말이야. 어머니는 막 탈수돼 우글쭈글 구겨진 빨래가 가득 담긴 플라스틱 통을 발로 걷어차 베란다로 옮기며 말씀하셨다. 거실은 독한 섬유유연제 냄새로 가득했다. 나는 어깨를 으쓱했다.

"그런 분인 줄 모르고 결혼하셨어요?"

어머니는 리모컨을 들어 시끄러운 텔레비전 소리를 낮추며 대답했다.

"아니. 결혼하기 전에도 그랬지."

한번은 아홉 시간이나 기다리게 했거든. 아무 연락도 없이.

아버지는 한평생 검사였다. 대학에서 법률을 공부했고, 수학 선생님이었던 어머니와는 광주에서 고등학생 시절부터 알던 사이였다. 두 사람의 교제가 길어지고, 결혼이 기정사실로 될 때쯤 오 년 동안 교편을 잡았던 어머니는 여성으로서 견뎌야 할 압력과 업무량을 버티지 못해 교직을 그만두었다. 당시에는 흔한 일이었다. 꿈을 못다 펼쳤음에도 어머니는 가정에 진실했으며, 정정하던 동안에 자녀와 남편이 사는 집을 정갈하게 관리했다. 우리가 어버이날에 쓴 편지며 상장 따위를 고스란히 모아둔 것처럼 부친의 생애를 정연하게 정리하는 게 어머니의 소일거리였다. 그리고 다행스럽게도 부친은 직장과 가정에 모두 충실한 사람이었다. 임명장, 훈장, 표창장, 상패. 권력의 각인이 새겨진 시계와 만년필. 부친이 살았던 찬란한 생애를 증명하는 기념품들. 부친의 경력은 곧 모친의 자랑이었다. 어머니는 고위공직자의 안사람으로서 받는 공식적인 예우를 올바르게 누릴 자격이 있는 사람이었다.

그 가운데 외현한 사실은 내게 묘한 흥미를 불러일으켰다. 그 어머니로부터, 한평생 모친에게 다정한 남자인 줄만 알았던 아버지의 다른 면모를 듣는다니. 돌이켜보면 그것은 늘 경애와 존중을 담아 부친을 거론하던 어머니가 처음으로 언급한 남편의 결함이었다.

나는 구겨진 반소매와 속옷을 널고 있던 어머니 곁에 앉아 젖은 수건을 넓게 펼쳐 접이식 빨래건조대에 걸었다. 어머니는 턱을 타고 흘러내린 반곱슬 머리칼을 귀에 꽂았다. 반백이 넘었음에도 모친의 광대와 얼굴선은 여실히 날카로웠다.

학창 시절, 어머니는 가세가 기운 집안의 유일한 공무원이자 소녀 가장으로서 세 남자를 먹여 살렸다고 한다. 당신의 아버지와 남동생, 그리고 한창 교제하던 아버지. 법대에 다니던 아버지가 2차 사법 고시에 탈락하고 교사인 어머니에게 생계를 기대며 면학하던 시기였다. 나는 주도권을 어머니가 쥐고 있던, 데이트 비용조차 어머니가 부담하던 그 시기의 아버지를 한번 상상해 보았다. 죄인이라도 된 듯 말수를 줄인 채 주눅이 들어 있던 모습. 말도 없이 아홉 시간이나 늦게 나타나 아무 변명도 없이 사과하던 앳된 학생을. 그 시절을 반영하듯 부모님의 결혼사진 속 아버지는 바짝 긴장한 얼굴을 하고 있었다. 엄마는 바구니 틈새에 끼어 있던 마지막 속옷을 건조대 가장자리에 걸곤 우두커니 서 있던 나를 돌아보았다.

"다친 몰골로 나타난 데다 자존심을 굽히고 사과하는데 받지 않을 수가 있어야지. 그래도 말이야. 역시 기다리게 하는 사람은 좀, 긴나시 더라."

단박에 무슨 의미인지 알아듣곤 웃음을 터뜨렸다. 대략 '별로더라'와 '밥맛없다'라는 어사 어드메에 위치한, 어머니가 종종 사용하는 사투리였다. 짤막한 일본어 상식이나마 동원해 추찰하자면 전라남도 일부 지역에서는 호감 가거나 귀염성 있는 모양새를 권 있다, 혹은 귀티 난다고 표현하는데 이것이 일제 강점기를 거쳐 일본말인 '~나시'(無し, 없다)와 결합했을 것으로 예상하지만 진실은 알 수 없다.

시계를 올려다보았다. 긴 바늘이 짧은 바늘을 매섭도록 재촉하고 있었다. 더 지체했다간 공부하기 싫어 요령 피우는 것이 노골적으로 보일 테고. 손을 들고 현관을 나서자 어머니가 눈꼬리에 주름을 만들며 머리 옆으로 손을 흔들었다. 비교적 건조한 저녁 바람에 바싹 마른 자갈과 모래가 운동화 아래 버석하게 밟혔다. 기다리게 하는 사람은 긴나시다, 라. 얼마 전에 비슷한 소리 들어본 것도 같은데.

공부를 조금이라도 해본 사람은 안다. 어떠한 사실을 계속 기억한다는 것은 결코 쉬운 일이 아니다. 그러나 어떠한 사실을 일부러 잊는 것에 비하면 그리 어렵지도 않다. 재수학원이라는 공간은, 말하자면 세상의 모든 재미를 등진 채 자발적으로 걸어 들어가는 수용소에 가깝다. 한창 캠퍼스에서 자유를 만끽할 친구들로부터 부글부글 끓는 열패감을 내리누른 채 휴대전화며 게임기며 태블릿PC, 흥미를 분산시킬 만한 모든 도구를 잃은 갓 스물 된 청년들은 말발로만 먹고 살아온 학원 강사의 유창한 언변에 솔깃이 빠져들지 않을 수가 없다. 요컨대 입심 좋은 강사가 수업 시간에 주입하는 인생 교훈은 작정하고 잠들지 않는 이상 자극에 목마른 재수생의 잔뜩 오그라든 회백질 해마 어딘가에 고여있을 수밖에 없다.

지정석에 앉아 모의고사 답안지를 꺼내는 순간 비로소 떠올릴 수 있었다. 어머니처럼 '긴나시'라는 단어를 쓰던 광주 출신 선생님을.

첫 수업 날, 선생님은 쥐죽은 듯 조용한 강의실에 들어서서 한쪽 손을 주머니에 꽂고 편안하게 서 있었다. 책상 위에 올려놓은 윤리 교재를 펴 보라는 소리조차 하지 않은 채였다. 내 의지와 관계없이 어머니의 소리 없는 압박에 떠밀려 앉아있던 나는 선생님의 입이 열리는 것을 무심히 지켜보고 있었다.

"시작하기에 앞서, 목표를 묻고 싶다. 너흰 몇 등을 하고 싶어서 여기에 와 있니?"

아무 목소리도 들리지 않았던 강의실은 선생님의 말씀에 한층 더 조용해진 느낌이었다. 안개 낀 햇빛이 내리비치는 1교시의 강의실에는 무기력한 긴장감이 감돌고 있었다. 선생님은 굵은 눈썹을 어중간하게 모으고 가만히 모두를 내려다보고 있었다.

"없어? 정말?"

앞자리에 있던 두 명은 선생님과 눈을 마주치자, 거북한 듯이 시선을 피했다. 한 명은 시선을 창가로 돌렸고, 다른 한 명은 책상 위에 놓인 자신의 필통 속에서 뭔가 재미있는 것이라도 발견한 양 갑자기 눈썹을 치켜세우며 들여다봤다. 이해 안 될 것도 아니었다. 부담스럽겠지. 첫날부터 반 전체로부터 이목을 끌어 견제당하고 싶은 재수생은 없다. 더군다나 이 자리에 앉은 모두가 1등급을 받을 순 없으니까. 나는 선생님이 질문을 던진 의중을 파악하기 위해 귀만 열어둔 채 교재 목차를 눈으로 읽었다.

"이리도 포부가 없어서야."

'아니, 포부가 있어도 굳이 이 자리에서 밝히고 싶지 않은 거겠지.' 속으로 반박하며 책에서 눈을 뗀 나와 선생님의 시선이 허공에서 마주쳤다. 올 게 왔구나. 나는 가볍게 숨을 내쉬며 습관적으로 질문에 맞는 답을 찾기 위해 머릿속으로 잡념을 정리했다. 지목할 참이라면 뭐라고 답변하는 편이 좋을까. 기왕 들어온 이상 최선을 다하겠다는 대답이 가장 무난할 것이다. 그렇게 말을 고르던 찰나, 선생님은 짙은 눈썹을 여덟 팔자로 축 늘어뜨리며 고개를 주억거렸다.

"안다. 알아요. 이런 분위기에서 자기 포부를 당당하게 밝히는 사람은 아주 용감하거나 생각이 없거나 둘 중 하나겠지. 나도 어릴 땐 그렇게 생각했어요. 어떤 웃기는 자식을 만나기 전까진 말이야."

'웃기는 자식' 즉, 선생님의 고등학교 시절 친구에 대해 내가 알게 된 내용은 다음과 같다.

홀로 완도에서 광주로 등락해 동구고로 진학하게 된 선생님이 그 친구를 만나게 된 건 반 배치 고사가 끝난 직후였다. 당시에 광주는 적잖게 큰 도시였고, 광역시라는 이름이 아깝지 않게 호남에서 최상위권을 차지하는 학생들이 지망하는 학교가 포진해 있었다고 한다. 악명에 익숙해진 덕분이었을까, 중학교까지 단 한 번도 일 등을 놓친 적이 없던 선생님은 배치 고사에서 고배를 마셨음에도 그리 크게 상처받지 않았다고 했다. 과외니 학원이니, 예습을 못 해도 두 번은 돌렸을 도시 사람을 두멧골 출신이 못 따라잡는 건 당연한 결과라 여기며 승복했다. 다음에 더 잘하면 그만이지. 그렇게 생각했더랬다.

하지만 옆자리에 앉아있었던 놈은 그렇게 생각하지 않았던 모양이었다.

정신을 차리니, 교실은 쥐 죽은 듯 조용했다. 모두 그 녀석과 선생님을 쳐다보고 있었다. 채 통성명도 하지 못한 담임은 묘한 시선으로 나란히 앉아있던 둘을 내려다보고 있었다. 모두가 예상치 못한 돌발 행동에 놀란 표정들이었다. 그제야 선생님은 비로소 알아차렸다. 어느새 그 녀석은 오른팔을 번쩍 들고 있었다. '야, 뭐 해.' 잠긴 목소리로 선생님이 속삭여도 녀석은 요지부동이었다. 어쩌면 그 녀석은 많은 이목이 충분히 자신을 향해 쏠릴 때까지 기다리고 있었던 건지도 모른다. 이윽고 그 녀석의 입이 당돌하게 열렸다.

두고 봐라. 나는 이번 학기 안에 반에서 1등, 내년 안에 전교에서 5등 내로, 그리고 졸업 전에 전교에서 1등을 할 거다.

따가운 봄볕에 교정의 자갈은 침묵에 바싹 말라 있었다. 이제 창문에 얼굴을 바싹 붙였던 학생들조차 모두 그를 주시하고 있었다. 선생님은 반쯤 엉거주춤하고 있던 자세에서 완전히 일어나서 심각한 표정으로 친구를 내려다보았다. 속이 타들어 가는 줄을 아는지 모르는지 친구는 여유롭게 입매를 올린 채였다. 상황이 종료되자 흥미를 잃고 목소리를 죽인 말소리들이 마구 뒤섞여서 들리기 시작했다. 그 웅성거리는 소리는 이따금 높아지기도 하고 돌연 낮아지기도 하면서, 한동안 이어졌다. 선생님은 헝겊 필통을 꺼내며 친구의 어깨를 건드렸다. 사귄 지 채 한 시간도 되지 않았지만 벌써 헤어지고 싶은 마음이 굴뚝같았다.

'너, 무슨 속셈이냐?'

친구는 어투는 다소곳했지만, 꽤 자신감 있게 말하였다.

'걱정하지 마라. 이건 내 선택이다. 책임은 온당히 내 몫이다. 넌 내가 어떻게 하는지 잠자코 지켜보기만 하면 된다. 그러려고 모두에게 알린 거니까.'

담임이 연단 앞에 서자 소란은 중단되었다. 친구의 당돌한 포부를 염려하던 열일곱 살은 이제 사설 학원 교단 앞에 서서 선생 흉내를 내고 있다. 뒤이은 이야기는 예상이 가면서도 쓸쓸한 이야기였다. 실은 교사가 되고 싶었지만, 숱한 시위에 뛰어드는 것도 모자라 여러 차례

주동하는 바람에 이름 석 자에 빨간 줄이 남아 꿈을 펼칠 수 없었다고. 전과자의 신분으로 변변찮은 직업도 얻지 못하고 전전하다가 우연히 학연이 닿은 학원에서나마 못다 꾼 꿈을 펼치고 있는 거라고.

어쩌면 첫날부터 인생 교훈을 들려주는 것 또한 선생 흉내의 일환일지도 모르겠다. 나는 묘하게 귀에 익은 지명과 학교를 다시 한번 머릿속으로 되뇌었다.

동구고.

광주.

아버지가 재학했던 곳이다.

그렇다면 혹 동년배일까? 고개를 들어 반대편 열을 거니는 선생님을 집요하게 관찰했다. 성성한 백발. 그간의 어려움을 말해 주듯 미간에는 골 주름이 뚜렷했다. 적게는 쉰부터 많게는 환갑을 넘게 잡아볼 수도 있을 것 같다. 솟아오르기 시작한 하복과 지난한 세월이 할퀴고 간 흔적이 선생님의 나이를 가늠키 어렵게 만들었다. 주위를 둘러보자, 나뿐만이 아니라 대부분 학생이 귀를 기울이느라 숨을 죽이고 있는 것이 생생하게 느껴졌다.

형식적인 출석을 흘려들으며 손에 턱을 괸 채 창밖으로 시선을 돌렸다. 바람에 흔들리는 옥색 직물 커튼 자락이 창틀 아래로 크기를 부풀리며 나부꼈다.

광주의 5월.

언젠가, 서울에서 온 한 택시 운전사가 광주에 가게 된 사연을 다룬 영화를 봤던 기억이 떠올랐다. 그는 독일에서 온 외신 기자의 부탁에 따라 영문도 모르고 광주로 향했고, 그곳에서 전선을 방불케 하는 잔인한 수위의 장면을 여과 없이 지켜보았다. 시위대와 군 사이에 긴장이 고조되면서 거리에는 혼란이 벌어지고 있었다. 최루탄 통이 공중으로 날아가고 경찰봉이 시위 표지판에 충돌하며 광주 전역에 처절한 외침이 울려 퍼졌다. 그러나 막상 더욱 인상 깊게 남았던 것은 부모님의 반응이었다. 당시 광주에서 사건을 몸소 겪었던 부모님은 무척 담담한 표정으로 영화관을 나왔었다. 이런 남 이야기 말하는 듯한 서술만으로는 당시 시민들이 겪었던 상황의 광기가 전혀 느껴지지 않는다는 것이었다.

선생님과 친구는 바로 그곳에 있었다. 다행스럽게도 선생님은 그때 운이 좋았더랬다. 평생 쓸 운을 전부 사용한 게 아닌가 싶을 정도로. 휴교령이 떨어지기 무섭게 선생님은 세 들어 살던 하숙집 주인과 함께 산을 타 검문소를 찾았다. 산길에 있는 검문소는 군인들이 비교적 적게 모여 있었고, 교복 소매로 눈가를 훔치며 말을 더듬던 어린 학생과 여자 한 명을 상대로 길게 실랑이를 벌이지 않았다. 조카와 함께 문제집을 가지러 내려가 봐야 한다는 하숙집 아주머니의 얼굴은 하얗게 질려 있었다. 군인들은 아무 말도 하지 않았다. 순순히 길을 열어주지도 않았다. 단지 장난삼아 총부리로 허리께를 찌르며 치맛자락을 들치는 시늉을 할 뿐이었다.

발을 어슷 짚고 선 한 명이 아주머니가 들고 있던 작은 가방을 가리

켰다. 도시락과 약간의 비상금이 든, 손때가 묻어 반질거리는 가방이었다.

하숙집 아주머니는 얼른 그것을 건네주고 어렸던 선생님의 손을 움켜쥐었다고 했다. 쇠갈퀴 같은 손을 움켜쥐고 얼굴이 붉어지도록 달리는 동안, 선생님은 군인들이 아주 멀어져 작은 점처럼 보이게 될 때까지 몇 번이고 뒤를 돌아보았다고 했다. 나는 그 이유를 알 것만 같았다. 어머니가 말하길, 보내주는 시늉만 하고 재미 삼아 자빠뜨려 덮치는 경우도 적잖았다고 했다. 총부리에 등을 찔려 앞으로 곤두박질쳐 낙사하는 일도 심심치 않게 있었다. 그 이야기를 듣고 나니 어머니가 '택시 운전사'를 유독 감흥 없이 본 이유를 알 것도 같았다. 영화의 대단원에서, 광주의 택시 운전수들은 주인공과 일면식 없는 독일인 기자를 탈출시키기 위해 추격하는 지프에 뛰어든다. 웃으면서 사라져가는 그들의 모습은 마치 가미카제 특공부대처럼 숭고하고 희생적으로 그려졌다. 현실에서 광주 사람들이 더위잡을 수 있는 것은 아무것도 없었다. 계엄령으로 인해 전화선이 잘려 통신 수단마저 끊긴 지 오래였다. 누가 그랬더라. 할머니였던가, 다른 친인척 중 한 명이었던가. "아무것두 없는 허허벌판으루 으뚫게 겨우겨우 빠져나와 보닌게, 깨까시 닦인 표지판에 요로코롬 적혀 있거든. '안녕히 가십시오, 광주' 하나두 안녕하지 않았어. 정말이지 하나두……"

반면 선생님의 친구는 선생님만큼 운이 좋지 못했다.

공교롭게도 친구는 그날 무척 들떠 있었다. 첫 중간고사에서 반 수석을 차지한 덕분이었으리라. 나는 기대 이상의 성과가, 고된 노력의 결과물이 수험생의 이성을 얼마나 쉽게 마비시키는지 어느 정도는 헤아릴 수 있었다. 겨우 열일곱이었던 자신감 넘치는 친구의 행동 역시도 다르지 않았다.

"어쩐 일로 늘 다니던 좁은 길목 대신, 시청 쪽으로 가더라."

그리고 대로는 이미 진압대와 대학생으로 발 디딜 틈도 없이 꽉 차 있었다. 수백 명이 대오를 이루느라 시야를 가렸다. 버스는 버젓이 역주행을 감행했다. 부대낀 이들의 체온에서 발생한 더위가 좀처럼 숙어지지 않았다. 한 젊은이가 뒤쫓아오는 공수부대원을 피해 도로로 뛰어들었다. 코앞에 있던 차량이 클랙슨을 울리며 급정거했다. 좁은 차선에 서서 병목 현상을 겪던 차량도, 그 뒤의 차도 정체된 채였다. 경적의 음향은 인파가 일궈낸 열기 속에서 비등점을 향해 달리는 끓어오르는 물처럼 서서히, 가득 차올랐다.

"너희도 아마 귀동냥으로 들어본 적 있을 거야. 멀쩡한 청년을 대답하나 제대로 못 했다고 공수 부대가 방망이로 쳐 죽이던 사건 말이야."

들어본 것도 같았다. 가장 먼저 떠올린 것은 한국사 근현대사 시간에 쉽게 발견할 수 있는 사진이었다. 학생 대부분이 한 귀로 듣고 다른 귀로 흘려보내는 시간이었지만. 진압봉을 휘두르며 뒤쫓아온 공수부대원이 전신이 짓이겨진 채 무릎을 꿇고 손을 모아 비는 청년의 멱살을 잡고 윽박지르는 사진이었다. 사이렌 탓에 그의 지시와 요구는 그자리에 있던 누구도 들을 수 없었을 것이다. 아마 공수부대원 자신조차도. 그럼에도 그는 무고한 시민을 무참하게 두들겨 패 짓밟은 다음 우그러진 골육을 끌고 갔을 것이다.

다행스럽게도 선생님의 친구는 지나가던 구급차에 의해 구조되었다고 했다. 객차는 시민군을 비롯해 대여섯 명의 시민들로 가득가득히 차 있었다. 그네들의 형색은 여느 피난민 이상으로 참담했지만, 어느한 명도 내리려 들지 않았다고 한다. 거리는 진압대와 시민들로, 흡사시골 장터처럼 소란하고 번잡했다.

　문제는 여기서부터였다. 폭도가 일어났다는 소문에, 북한군으로 해서 사람사태가 났다는 소식이 그야말로 갖가지였다. 광주 전체가 술렁거렸다. 학교, 교회, 공공기관은 물론이고 빈자리란 빈자리는 거의 전부가 시민들로 득실거렸다. 그 와중에 군 정부는, 금일 내로 귀가하지않고 거리를 떠도는 시민들은 모두 폭도들로 간주해 발포하겠다는 선언을 내렸다. 하루아침에 북한군으로 의심받게 된 시민들은 그야말로황망히 서로를 마주 보고 있었을 것이었다.

　"까닭 없는 누명을 쓰고 잡혀간다 하니 황황하겠지. 운전대를 쥐던쪽 사람들의 의견도 좀체 좁혀지지 않았어. 경찰서로 가야 한다, 시청으로 가야 한다, 일단 남은 사람들을 집에 보내야 한다……. 초조했겠지. 아마도."

　무게 중심을 잃은 구급차가 도랑물에 빠져 반쯤 전복된 것이 친구에게는 전화위복의 기회였다. 구급차 모서리에 부딪혀 얼이 빠져있던 사람들은 뒤늦게 정신을 차린 듯 도랑으로 뛰어들어 진흙이 튄 차체와바퀴를 맨손으로 밀어냈다고 했다. 물로 흥건한 호 속에 뒹굴고 있어피와 흙탕물이 범벅돼 피비린내가 코를 찌르고 모두는 귀신의 형용이었던 것은 말할 나위도 없었다. 친구는 앞 유리가 깨진 차를 어깨로 받쳐 간신히 세워 놓았다. 그리고 그들이 다시 차에 오를 때, 다시 타는 대신 곧장 집으로 돌아갔다. 며칠 만에 다시 만난 친구는 목발을 짚고 있었다고 했다.

신발을 벗은 채, 감각이 없는 발꿈치를 들고 깨금발로 걷는 시멘트 길이 얼마나 고됐을지 상상해 본다. 범죄자가 아니고서야, 헌병대의 지프와 경찰차를 부득불 피할 까닭은 없지 않던가. 때마침 쉬는 시간을 알리는 벨소리가 천장에 매달린 스피커에서 터져 나왔다. 다만 귓가에서는 이명이 날 정도로 어지러운 사이렌 소리가 야묵을 깨고 들려왔다.

쉬는 시간 동안 아이들이 보인 반응은 크게 두 가지였다. 하나, 관심을 두지 않고 할 일에 집중하거나. 둘, 과연 이 이야기가 사실일지 고민하며 이를 이야깃거리 삼아 통성명을 나누거나. 나는 어느 쪽에도 섞이지 못한 채 자리에 앉아 생각에 잠겨 있었다. 동요되지도, 고조되지도 않았다. 희한할 정도로 아무렇지도 않았다. 지나치게 자주, 많이 읽어 어느 페이지를 펼쳐도 이어지는 내용을 짐작할 수 있는 책을 다시 꺼내 읽은 것처럼 자연스럽게 받아들여졌다.

아마 내겐 이미 익숙한 이야기였기 때문이었을 것이다. 아버지가, 어머니가, 친척들이, 조부모가. 명절마다 달곰쓸쓸하면서도 비강을 아리게 하는 독한 소주를 연거푸 마시면서 마른오징어와 육포처럼 흔히 내놓는 경험담이었다. 나는 뒷이야기마저 알고 있었다. 공수 부대가 철수한 이후 시청 앞에는 사망자 명단을 확인하기 위해 많은 시민이 몰려들었다. 개중에는 행방이 묘연한 아들의 소식을 듣기 위해 장남의 팔에 간신히 의지해 서 있었던 외조모의 이야기도 포함되어 있었다. 몇몇이 사라져 허적한 빈 교실에서 다시 만난 친구끼리조차 몇 달간은, 마치 실종된 학생들이 멀리 유학이나 이민이라도 떠난 것처럼 언급을 피했다던 어머니의 장탄식 섞인 한탄을 떠올려 보았다. 나는 이 이야기를 지나치게 잘 알았다. 그러나 함부로 내놓았다간 피해의식으로 치부되기 좋은 이야기였다.

필통을 가방에 집어넣기 위해 고개를 돌리려던 찰나였다. 뒷좌석에 앉아있던 누군가의 목소리가 열려 있던 이륜에 날카롭게 꽂혔다.

'당연히 구씹이지. 저걸 믿냐?'

나는 아무것도 듣지 못한 것처럼 프린트와 문제지를 책상 위에 탁탁 쳐 갈무리해 책가방에 밀어 넣었다. 사람은 저마다 모두 다르다. 내가 겪었던 경험, 자라온 환경은 타인과 같지 않다. 같은 가정환경에서 자라도 다르게 받아들이는 경우가 부지기수일 테니 말이다. 광주에서 벌어진 이야기는 나의 일부분이나 다름없을 정도로 친밀하고 다정하게 느껴졌지만, 다른 사람들은 그렇게 받아들이지 않을 것이었다. 내가 그들과 함께 온전히 어울리려면 내게 상식이었던 경험을 포기해야만 했다. 그것은 간접적인 부조리나마 피부로 느꼈던 이들이 공유할 수 있는 정서인지도 모른다.

나는 소리 없이 일어나 자리를 옮겼다. 다음 수업이 시작하기까진 아직 한 시간이 남았지만, 미리 도착해 자습할 작정이었다. 기다란 복도 바닥을 따라 제 운동화가 끌리는 소리가 한참을 울렸다. 그러다 끝내 스무 명 남짓 들어갈 것 같은 빈 교실 하나를 찾을 수 있었다. 문을 벌컥 밀어 들어서자마자 창문 앞에 다가섰다. 그리고 난생처음으로 그 좁은 유리창을 벽 그 자체로 보았다. 저 너머의 공기와 이 자그마한 공간에 선을 그어 가르는 투명한 벽. 그것을 깨부수고 싶다는, 억하심정을 닮은 충동을 억누르며 조심스럽게 열어젖히자 삐걱거리는 소음이 높게 긁혔다. 중천에 치솟던 해가 개방된 허공에 비쳤다.

나는 창틀에 기대어 문제지를 꺼내 펼쳤다. 그날은 좀체 바람이 불지 않았다.

두 달 정도가 지나자, 선생님의 수업 방식이 어느 정도 드러나는 듯했다. 역사와 이념을 엮어 가르치는 방식은 확실히 흥미롭긴 했지만, 그 때문에 진도가 잘 나가지 않았다. 다른 반에 비하면 이미 꽤 많이 뒤처져 있었다. 연애나 다른 사소한 문제에 정신이 팔려 산만한 다른 학생들에겐 적당한 수업 속도였을 것이다. 하지만 나는 하루가 다르게 조급해졌다. 후줄근한 운동복이나 트레이닝 팬츠가 아닌 다른 옷을 입고 싶었다. 아르바이트를 통해 스스로 돈을 버는 즐거움을 느끼고 싶었고, 부모님으로부터 압수당한 휴대전화를 되찾고 싶었다. 무엇보다도 암기와 단순 반복만을 필요로 하는 과목을 벗어나, 원하는 전공을 탐구하고 싶었다.

선생님이 다른 이야기를 하는 동안 나는 내일 있을 영어 시험을 대비해 단어 암기에 집중했다. 한번은 무릎 위에서 여러 번 접어서 구겨진 종이를 발견한 선생님이 약간의 꾸지람을 동원해 이렇게 말하기도 했다.

"그렇게 열심히 앞서나가서 이다음에 무얼 하려 그러니? 사람이 먼저 되어야지."

어쨌든 이 반항이라 치부하기엔 모호하고, 항의라기엔 지나치게 수동적인 행위가 선생님의 일면을 자극한 것은 확실해 보였다. 한동안 한국 노동 쟁의 및 투쟁의 발전 쪽에 집중하던 선생님의 화제는 오랜만에 예의 친구 쪽으로 옮겨갔다. 나는 감히 수업 시간에 다른 공부를 한 죄로 꼼짝없이 들을 수밖에 없었다. 말하는 내내 선생님의 날카로운 시선이 특히 내 책상 앞에 향하고 있었기 때문이었다.

요컨대 두 사람의 기질은 다르면서도 같았다. 전교 수석을 독차지한 반장으로서 방과 후 밤늦게까지 담임을 대신해 야간 학습을 지도했던 모범생. 모범생이 되기를 포기하고 매일 아침 가난한 아이들과 조기 농구를 하며 땀을 씻어내던 선생님. 그러나 누가 뭐래도 그 둘은 친구였다. 얼핏 물과 기름처럼 상반돼 영영 분리될 것처럼 보여도 뜨거운 기운은 차가운 기운을 향해, 물 위에 괸 기름은 아래로 가라앉아 점차로 뒤섞여 겹치는 층을 형성하기 마련이다. 없는 형편에 함께 사서 돌려보던 정석과 성문종합영어 표지가 날깃날깃 닳을 때까지 번갈아 읽던 두 사람이 한날한시 같은 대학에 진학한 것만 봐도 그랬다.

그 무렵 선생님과 친구의 대학 생활은 순탄치 않았을 것이다. 학생들의 의사를 표현할 수 있는 유일한 방법인 시위가, 전경과 기상천외한 시위 진압 수단에 의해 억압받기 시작한 때였다. 햇빛에 허옇게 반

사퇴 하이바를 뒤집어쓰고 타지와 깨방을 양손에 쥔 전의경이 섬쩍지근한 공포로 각인되던 시절. 그러나 이미 광주를 거쳐 온 몇몇 학생들은 남몰래 소주를 비우고 병 주둥이에 가재 수건을 끼우며 객기를 부리곤 했더랬다. 그래도 군바리보단 백골단이 낫다고. 주택 창문에 바싹 붙어 웅웅 날개를 휘돌리던 헬리콥터가 언제 무차별 사격할지 몰라 건넌방에서 거실로 갈 때 머리를 바짝 숙이며 걷던, 그 시절에 비하면 해볼 만하다고. 신군부 세력의 대규모 학살 행위로 광주민주화운동은 좌절되었으나 그 정신과 동력은 사회 곳곳으로 퍼져 나갔다.

그러나 현실은 녹록지 않았다. 대학교 강의실에 사복을 입은 경찰이 들어와 열중쉬어 자세로 서 있었다. 캠퍼스 잔디밭에 경찰들이 앉아 도시락을 까먹는 일도 비일비재했다. 더군다나 보안사와 경찰은 모범생들을 포섭해 프락치 활동을 조장했다.

이에 맞서기 위해 학생들은 더는 학생회라는 이름으로 모임을 하지 않았다. 영화 동아리, 만화 동호회, 애니메이션 상영회, 그림 전시회, 다양한 연막을 끌고 비밀리에 지하로 모였다. 그러나 막상 연막을 흩어내면 '혁명론', '전략전술론'을 연구하는 자리였다. 군사독재가 일군 옹달진 환경은 역설적으로 개개인의 지적 관심과 능력을 특정 방향으로 몰아넣는 역할을 했다. 혁명이 상투어가 되고, 혁명 조직이 당연시되던 시절이었다. 밤을 지새우며 진행된 열띤 토론은 지성의 향연으로 이어졌다. 사회학과에 진학한 선생님이 햇빛보다 어두침침한 교실의 먼지를 더 자주 뒤집어쓰게 된 것도 이때쯤이었다고 한다.

반면 친구는 달랐다. 입학 첫날 의기양양하게 포부를 밝혔던 친구는 학기말 시험 내리 심상치 않은 석차를 연달아 거머쥐더니 끝끝내 법과 대학에 진학했다. 고고학을 공부하고 싶다던 과거의 바람을 내려놓은 결정이었다. 전에 없이 과묵해진 친구를 둘러싸고 한동안 무성한 소문이 돌았다고 했다. 누군가는 가난한 주제에 꿈이 크다고 비웃었다. 연세대나 고려대로 목표를 낮춘다면 전액 장학금을 받을 수 있는 성적이었는데, 괜한 욕심을 부려 분수에 맞지 않는 대학을 간다며 강짜를 놓았다. 혹자는 사람이 변했다며 흉을 보았다. 다른 누군가는 뒤늦게 철이 들었다고 감정했다. 이 모든 소문의 진위를 앞다투어 물으며 권배하는 동기들 앞에 앉아, 친구는 졸업주를 홀짝이다 희미한 웃음을 지었다. 진학 상담 때 담임 선생님의 권유를 받아들였고, 법 공부가 자신에게 좀 더 어울렸을 뿐이라고 일축했다. 돼지고기를 굽는 연기가 천장 가득 찼었더랬다.

"같은 대학에 갔다면, 어쨌든 다시 만났겠네요."

나는 내심 두 친구를 부러워하며 입을 열었다. 선생님은 입꼬리를 묘하게 뒤채며 나를 주목했다. 짙은 반회색 눈썹 사이로 너무도 깊은 주름이 잡혀서 미간이 완전히 사라져 버렸다. 이마 위로는 길고 곧은 직선이 생겨나 있었다. '어쨌든'이라는 표현이 꽤 마음에 든 모양이었다. 그리 달가운 만남이 아닐 수도 있었겠다는 예상이 뇌리를 스쳤다.

"그래, 만났지. 어쨌든 말이야."

대학에 들어온 지 한 해가 다 되는 동안 친구와 선생님은 좀처럼 마주치는 일이 드물었다. 어쩌다 눈이 마주쳐도 마치 약속이나 한 듯 길게 인사를 나누지 않았다. 선생님은 피세일을 돌리고 쇠파이프를 휘두

르느라 하루가 멀다고 파스를 발랐다. 뒤꽁무니에 따라붙은 경찰의 불똥이 오랜 친구들에게 튀지 않도록 따돌리느라 바빴다. 친구는 불법 과외와 학업을 병행하기에도 벅찼다. 안부를 묻고 근황을 나누던 두 사람 사이에는 어느덧 어색한 기류가 자리 잡고 있었다.

단 한 번, 두 사람이 우연히 마주쳤던 것은 단 한 번이었다. 그 뒤로 선생님은 학교에서 제적당했기 때문에 다시는 마주치지 못했다고 한다. 그때 선생님은 친구에게 미 문화원 시위에 가담할 것을 제안했다고 했다. 오래간만에 동향을 만났다는 반가움 때문인지, 턱없이 모자란 머릿수를 채우기 위한 영입 활동이었는지는 자신도 확신이 서지 않았다고 했다.

"곧바로 대답하지 않았어. 아주 신중하게 고민하는 것 같았지. 어쩌면 그때 이미 짐작했는지도 몰라. 결국, 그 녀석은 오지 않을 거란 걸 말이야."

마지막으로 만났을 때 친구는 여전히 다리를 미세하게 절고 있었다고 했다. 학창 시절부터 알던 사이가 아니면 결코 알아차릴 수 없을 정도로 작은, 민주화 사태가 남기고 간 상흔이었다. 나는 그 말을 들으면서 아버지를 떠올렸다. 미세하게 균형이 어긋난 걸음. 질질 끄는 걸음걸이를 남들 앞에서 보이지 않기 위해 반대편 하지에 힘을 잔뜩 들여 걷느라 양발 모두가 위태로운, 그렇게 얼핏 보기엔 완전한 균형을 이루는 걸음을 발명한 아버지를. 아이러니하게도 아버지의 취미이자 유일한 낙은 등산이었다. 아버지는 단점을 인정하고 약한 모습을 드러내기보단 수단과 방법을 가리지 않고 적응해 극복하는 사람이었다.

"……진입하자마자 안에 있던 사람들을 싹 내보내고 출입문에 닥치는 대로 바리케이드를 쌓았지. 한데 뜻밖에도 미국이 경찰을 투입하는 대신 대화로 풀어보자고 제안한 거야."

순진한 학생들은 광주 문제를 널리 알릴 수 있는 절호의 기회라고 여겼다. 통역사도 필요하지 않았다. 영어를 할 수 있는 학생들은 앞다투어 목이 터지라고 외쳤다. 공수 부대 투입을 미군이 방관했음을 인정하고 사죄해야 비로소 한미 관계가 정립될 수 있다고.

"5·18 민주화운동을 재점화하려던 시위인데 왜 23일에 벌어졌는지 궁금할 사람도 분명 있을 거야."

선생님은 말을 이었다. "당연히 18일로 결의하고 인제 하려고 딱 나갔는데, 경찰이 많아도 너무 많았던 거야. 우린 정보가 새어나간 줄 알았지만, 실은 27일에 열릴 남북 적십자회담에 대비한 경계였지. 우리는 그것도 모르고 벌였다가 25일이 되어서야 알게 된 거야. 이대로 있다간 농성 자체가 남북문제에 이용당할 판이었지."

결국, 사태는 사흘 만에 정리되었다. 이렇다 할 만한 소득도 못 건진 채로. 점거 농성에 참여한 학생들은 선생님을 포함해서 국가보안법 위반혐의로 기소되었다. 그들은 미 정부에 위험분자로 낙인찍혀 지금까지도 미국 입국을 허가받지 못하고 있다.

"요전번에 다섯 살 난 아들 데리고 미국 여행을 가려 할 때, 공항에서 딱 걸리더라니까. 시간이 많이 지났으니 혐의를 인정하고 이제부터

라도 반성하겠다고 하면 눈감아주겠다고 하대. 어쩌겠어, 당연히 거절했지."

"왜요?"

형광펜을 돌리며 손장난을 치던 한 학생이 물었다. 몇몇은 이 시간을 수면 시간으로 정해 속 편히 졸고 있었다. 그러나 눈을 뜨고 귀를 기울이는 학생이 반수가 넘었다. 선생님은 마치 그 질문만을 기다렸다는 듯 의연히 양손을 펼쳐 보였다.

"내가 했던 걸 없는 일로 만들고 싶진 않았으니까."

"그 친구는 끝까지 나타나지 않았던 거에요?"

마르고 앙상한 얼굴에 네모난 안경을 걸친 친구가 손을 들었다. 응어리진 감정의 앙금이 깊숙이 침전된 듯한 대답이 나직이 들려왔다.

"그래."

기나긴 이야기를 마치며 선생님은 이렇게 덧붙였더랬다. 선생님은 자신의 선택을 절대로 후회하지 않지만 기다리게 하는 사람은, 정말 긴나시 같은 놈이라고. 오지 않을 거란 사실을 어렴풋하게나마 깨닫게 만드는 놈은 더더욱 그렇다고. 그때 선생님은 걱정되고 화가 난 것 같기도 하고, 잘 표현할 수 없지만 어딘지 모르게 어중간한 표정이었다.

왼쪽 열에서 누군가가 손을 들고 긴나시가 무슨 뜻이냐고 천진하게 물어보았다. 호남 쪽 사투리라는 대답에 남학생들 사이에서 한바탕 술렁거리는 소리가 들렸다. '홍어'라는 단어가 들렸을 때쯤 나는 폐가 벌룩거리며 멋대로 움직이는 듯한 느낌을 받았었다. 그 순간 나는 진심으로, 선생님이 그 시절을 온전히 공감할 수 있는 사람을 만나기를 바랐다.

　그리고 나는 그 사람이 누구인지 알 것만 같았다.

　자습서를 챙기고 독서실을 나서자 새벽 두 시의 상가는 무척이나 조용했다. 지나다니는 사람이 없는 거리는 어딘지 모르게 다른 나라의 일부 같았다. 무성한 나뭇가지 틈으로 보이는 검푸른 새벽하늘에는 어느새 잿빛 구름이 펼쳐져 있었다. 꺼 두었던 스마트폰 전원을 켜자 학원에서 보낸 광고 문자, 그리고 두 통의 메시지가 반겼다. '아버지 곧 오신다.', '엄마 먼저 잘게.' 나는 배터리가 얼마 남지 않은 화면을 끄고 빠른 걸음으로 아파트 단지에 들어섰다.

　예상대로 집안은 어둑어둑했다. 옅게 코를 고는 어머니의 숨소리가 복도 너머로 들려왔다. 불을 켜면 깊은 수면에 방해가 되리라. 나는 시야가 어둠에 익기를 기다리거나 앞을 휘저으며 나아가는 대신 창가로 다가섰다. 커튼 줄을 당겨 거실 블라인드의 각도를 기울이자 신새벽 특유의 서늘한 빛이 실내로 내려앉았다. 선도, 다발도 아닌, 지극히 옅게 직조한 베일 같은 빛이 슬며시 실내 전체를 감싸 안았다. 그때 누군가가 천천히 모습을 드러냈다. 아버지였다.

　그림자가 세밀한 농담으로 나뉘며 비로소 부엌으로 이어지는 소파에 앉아있던 아버지가 눈에 들어왔다. 당황하고 나서야 가방이 바닥에 떨어졌다는 사실을 깨달았다. 성적표를 테이블 위에 내려놓는 아버지의 표정은 그림자에 가려져 있었다. 기쁨도, 슬픔도 느껴지지 않았다.

　"……갈 길이 멀죠."

나는 조도가 약한 조명만 켜고 소파 맞은편에 앉았다. 자작하던 참이었는지 테이블 위에는 뚜껑이 열려 있는 술병과 과일 조각이 박힌 치즈가 널려 있었다. 예상대로 아버지는 광주에 성묘를 다녀오던 참이었다. 그러나 광주에 관한 이야기는 어디서나 민감한 사안이었기 때문에, 매번 알리지 않고 비밀스럽게 다녀올 수밖에 없었다.

아버지는 한숨을 내쉬며 양복 마이를 벗어서 소파에 접어 올려놓았다. 검은색에 차콜이 섞인 가벼운 천으로 지은 고급 양복이었다. 흰 셔츠에 새카만 넥타이. 넋을 애도하기에 적절한 복장이었다. 나는 방에서 곤히 주무시는 어머니를 넘겨보다 일전에 약속을 늦었다는 이야기에 관해 넌지시 물어보았다. 정말 많이 걱정했는데, 아무것도 알려주지 않아서 서운했었다고.

아버지는 어깨로 크게 숨을 들이쉬고 천천히 내뱉었다. 그런 다음 내게 이 말을 꺼내도 괜찮은지 묻기라도 하듯 예의 날카로운 눈초리로 훑어보았다. 위에서 아래로 천천히 시선을 떨어뜨렸다가 다시 위로 시선을 되돌렸다.

"늦을 수밖에 없었던 거군요. 미 문화원에서 있었던 시위 때문에요."

아버지의 눈가 근육이 미세하게 떨렸다. 나는 선생님이 수업 시간에 들려주었던 이야기를 간추려 아버지께 들려드렸다.

"들어보니 아버지와 동문인 것 같던데, 누군지 아세요?"

아버지는 그 말에 긍정도 부정도 하지 않았다. 다만 입을 조금 비스듬히 뒤틀었다. 그 표정을 발견하자 나는 내내 뇌리에 깔렸던 뿌연 의

구심 같은 것이 확 걷히는 듯한 기분이 들었다. 지금 자신과 마주 보고 있는 이가 아마 선생님이 추억하던 '친구'일 것이다. 뒤늦은 아버지의 대답이 들렸다.

"시위에 참여했든, 참여하지 않았든, 그런 건 당시 경찰한테 중요한 문제가 아니었으니까. 아마 인근을 지나던 대학생은 거의 한 명도 빠짐없이 구속됐겠지."

수십 명의 어린 학생이 영문도 모르고 서로 끌려와 돌아가면서 취조실에 들어갔다. 공조수사라는 것이 노상 그렇지만, 아수라장인 된 서에서 뭔가 수월하게 이루어지진 않았다. 아버지 앞에 앉아 연초를 피우던 경사의 이마에는 매분 매초가 지날수록 굵은 주름이 팼고, 책상마다 놓인 종이컵에는 담배꽁초가 수북하게 쌓였다. 인스턴트커피 봉지와 중국 음식 포장재만이 헛되이 흘러간 시간을 증명해 주는 물건이었다. 그들은 고함과 질문 공세 속에서 단 하나의 의미 있는 성과도 내지 못했다.

곤란해하면서도 침착하게 상황을 해명하려 노력했을 아버지를 어렵지 않게 떠올릴 수 있었다. 그러나 그 노력은 아마 오래가지 못했을 것이다. 아버지는 학비를 충당하기 위해 과외를 병행하고 있었다. 당시 학원 강의와 과외는 불법이었고, 사실을 들켰다간 어떤 식으로든 빌미를 잡혔을 것이었다. 상상 속에서, 아버지 옆에는 눈을 빛내며 군인과 경찰을 상대로 조금도 주눅 들지 않고 대거리를 주고받는 선생님이 앉아있었다. 몇 번 머리채를 잡혀 헝클어진 학생이 대뜸 멱살을 잡혀도 아랑곳하지 않고 턱을 쳐들고 있었다.

압수당한 옷을 다시 돌려받은 것은 다들 집에 가서 좀 자라는 경감의 말이 떨어졌을 때였다. 바닥에 녹아내릴 듯 기운 없는 걸음을 옮겨 마침내 정거장에 이르렀을 때, 아버지는 여태 자신을 기다리고 있을 어머니와 마주하고 나서 첫 마디를 어떻게 떼어야 할까 고민했을 것이다. 어머니는 피골이 상접한 아버지를 슬쩍 보고 나서는 아무것도 묻지 않았다. 다행스럽고도 고마운 일이었다.

그 뒤로 머지않아 선생님은 학교에서 제적을 당했다. 아버지는 부당한 일을 당했음에도 몸 성히 돌아온 것에 만족해야만 했다. 나는 물컵을 홀짝이며 다소 위태로운 각도로 바닥을 짚은 발치를 내려다보았다. 아버지의 발은 건강검진 상으로는 약간의 흉터를 제외하면 건강했다. 의사 역시도 걷는 데엔 아무런 지장이 없을 거라 했다. 그러니 만일 걸음에 여전한 불편과 긴장감을 겪고 계신다면 그것은 심리적인 위축으로 인한 것일 거라고, 나는 막연히 추측했다. 이야기가 마무리되나 싶을 때쯤 돌연 아버지가 물었다.

"공부는 좀 할 만하든?"

"할 만하고 말고를 떠나서, 해야 하니까 하는 거죠."

"그래? 왜?"

"좋은 대학에 가야 좋은 직업을 얻죠. 대학도 못 나온 자식은 부모님께 있어서도 부끄러운 일이잖아요."

"그게 다일까, 정말로?" 그 물음에는 순수한 놀라움이 배어 있었다.

나는 반항처럼 들리지 않을 만한 적절한 말을 찾느라 잠시 뜸을 들였다. "실패한 것처럼 느껴졌거든요. 그것 때문에 저 자신에게 실망했고. 제가 가족들에게 사소하고 보잘것없는 인간이라는 느낌이 들 때가 많아졌죠."

"넌 나를 좀 닮은 것 같다." 아버지는 맞은편의 눈을 잠시 들여다보았다. 그런 다음 진지한 목소리로 말했다. "최선을 다해라. 후회하지 말고."

나는 알겠다고 말하고 손가락 끝으로 자신의 관자놀이를 가만히 눌렀다. 한치의 후회 없이 올곧게 뻗은 아버지의 시선은 확신에 찬 예감을 동반했다. 그날, 경찰에 휘말리지 않았더라도 시위에 참여하는 일은 없었을 것이다. 아버지는 정의로운 사람이었지만, 동시에 자신을 물심양면으로 돕는 이들의 기대와 사랑을 외면할 정도로 무모하게 나설 수는 없었을 것이다. 아버지에게는 반드시 이뤄야 하는 확실한 지향점이 있었다. 무력하고 나약한 피해자의 위치를 벗어나 법조인이 되겠다는 목표. 그것이 선생님이 추구하는 신념과는 발이 맞지 않았던 것뿐이다. 한편으로는 어머니에게 큰 도움을 받았지만, 아직도 다 갚지 못했다는 데 대한 부채감이 늘 아버지의 마음 한구석에 남아있었을 것이다.

다만 나는 곧바로 수긍하지 않았다. 그 대신 각자의 출근과 수업을 위해 자리를 파하고 접시를 치우려던 아버지를 붙잡고 진지한 표정으로 말했다.

"선생님께 아버지에 대해 알려드려도 괜찮을까요?"

어쩌면 아버지께 다른 가능성을 알려드리고 싶었는지도 모르겠다. 그날, 어릴 적부터 아버지와 친밀하게 지낸 친구였던 선생님을 만나

같이 못다 한 이야기를 나누고, 오해를 풀 수도 있었던 기회.

아버지는 놀란 듯한 표정을 지었다. 그러나 곧 눈을 가늘게 뜨고 고개를 끄덕였다.

이튿날, 나는 오전 자습을 감독하는 담당 지도자에게 20분 치 외출증을 요청했다. 출입 카드를 통해 학생의 일거수일투족이 기록되는 학원 시스템상, 옆 건물에 있는 교무실에 가기 위해서는 허가를 받아야 했다.

머리카락을 우아하게 위로 틀어 올리고 흰 목덜미를 시원하게 드러낸 조교는 부드럽고 산뜻한 미소를 지으며 허가증을 건네주었다. 이곳에서 재수를 끝마치고, 대학을 병행하며 선생님을 돕고 있는 그는 성실한 학생에게 대체로 우호적인 편이었다. 하루도 빼놓지 않고 성실히 출석하며 어느 정도 눈도장을 찍은 보람이 빛을 발하는 순간이었다.

"어느 선생님을 찾는다고?"

나는 탐구영역 시험지를 흔들어 보이며 선생님의 성함을 댔다. 그는 알 만하다는 듯이 고개를 끄덕이며 모조 달리아가 꽂힌 꽃병을 샤프 끝으로 두드렸다.

"담당 선생님으로부터 도장 받아오는 걸 잊으면 안 돼."

나는 알겠다고 대답하며 자습실을 나섰다. 옆 건물까진 열 걸음도 채 되지 않는 거리였지만 신중히 걸음을 내디뎠다. 오전부터 새벽까지 낡은 상가에서 나올 일이 없기 때문이었다. 바깥 공기를 만끽하며 생각을 정연하게 정돈할 수 있는 몇 안 되는 소중한 시간이었다. 하늘에는 옅게 구름이 끼어 어디서도 파란 하늘을 찾아볼 수 없었지만, 비가 내릴 것 같지는 않았다. 바람도 없었다. 녹색 잎이 무성한 버드나무 가지는 아슬아슬하게 바닥까지 늘어져 마치 깊은 생각에 잠긴 것처럼 꿈쩍도 하지 않았다. 가지가 흐트러진 호흡처럼 살짝 흔들리더니 곧 조용해졌다.

교무실에 들어서자 선생님은 이쪽을 알아보고 손짓해 보였다. 나는 한산한 사무실을 가로질러 자리에 앉았다. 겨우 여덟 시였던 터라 출근한 강사는 극히 드물었다. 막 서류가방을 내려놓고 수업자료를 정리하던 참이었는지 책상은 다소 어수선했다.

"성적이 꽤 올랐던데. 제법이야. 순조로운지는 잘 모르겠지만. 적어도 착실하게 전진하고 있는 것 같네."

"감사합니다."

나는 고개를 가볍게 주억였다. "실은 드릴 말씀이 있어서요."

그리고 나는 친구의 후일담을 이야기했다. 한평생 광주에 관해 서글픈 감정을 지니고 살았음에도 묵묵히 감내하며 살아가고 계신다는 것을. 아버지는 시위에 관해 어떠한 밀고도 하지 않았으며, 그날 다른 학생들과 함께 아무 이유도 없이 구속당했기 때문에 선생님을 찾아가고 싶어도 그러지 못했을 것이라고. 갈 수 있었어도 가지 않았을지도 모른다는 진실이 빠진 반쪽짜리 서술이었다. 하지만 내 역할은 두 사람의 관계를 매듭지어, 공부에 방해가 될 정도로 신경 쓰이는 문제를 해결하는 것까지였다. 그러고 나면 제자리로 돌아가 다시 입시에 집중해야 했다. 그 빠진 부분을 마저 채우는 것은 두 사람의 몫이었다.

'넌 나를 좀 닮은 것 같다.'

어쩌면 아버지가 제대로 봤는지도 모른다는 생각이 들었다. 불합리한 상황에 도의적 책임을 느끼면서도 결코 주어진 길을 이탈하지 않고 제자리로 돌아온다는 점에서. 아버지는 반드시 해야 할 의무가 주어지면 오로지 그것에만 성실하게 천착해 일가를 이뤄낸 사람이었다.

이야기가 끝나고 나서 선생님은 한동안 말이 없었다. 놀란 것도 같고 실망한 것도 같았다. 부릅뜬 두 눈에는 내가 미처 짐작할 수 없는 것들에 관한 이야기가 비쳐 보였다.

"어쩐지 많이 닮았더라니. 잘 지내던?"

나는 고개를 끄덕였다. 서슬 퍼런 얼굴에서 만감이 교차하고 있었다. 착잡한 표정을 짓던 선생님은 이내 결심한 듯 펜을 들었다.

"어디 무슨 말을 하는지 들어나 보자고. 피차 할 말이 많겠어. 특히 네 성적 문제부터."

나는 노란 포스트잇에 아버지의 연락처를 써넣고 하단에 성함을 작게 적었다. 포스트잇을 떼어내 건네던 찰나, 선생님의 주름진 입가에 희미한 미소가 스쳐 지나갔다는 확신이 들었다.

나만의 단계별 터닝포인트 방법

진희원

진희원   즐겁게 인생 살기가 목표임. 1년에 한두번씩 새로운 도전을 함. 이번에는 6주간 글쓰기 프로젝트에 지원하였다가 소설 쓰기는 60년이 걸릴 것 같아서 에세이로 경로를 변경함. 뜻밖의 주제를 만나 뇌를 쥐어짜느라 커피와 초콜렛으로 소생하고 있는 중. 인생의 전환점을 맞이한 모든 분들을 응원함.

어쩌다가 방법론을 쓰게 되었나

누구든지 편안하게 6주 안에 책을 쓸 수 있다고 하여 프로젝트를 신청했습니다. 평소 딱딱한 글쓰기를 주로 써서 마음을 드러내는 글쓰기를 배워 보고 싶기도 했습니다. 팀 주제는 여행, 터닝포인트, 부모님께 느꼈던 강렬한 감정의 순간이었는데, 미지의 행성에 불시착한 느낌을 받았습니다. 여행 기억과 터닝포인트에 대한 감정은 해소한 지 오래되었고, 부모님 기체 강녕하시고 평안하시니 할 말이 없었습니다.

자고로 칼을 뽑았으면 무라도 썰라는 어르신들의 조언을 동력 삼아 인생의 변곡점을 각색한 소설을 짧게 써보기로 했습니다. 내적 갈등을 특이한 기상이변으로 설정하는 개요를 썼는데요. 해가 떠 있는데 비가 내리고, 마른하늘에 천둥번개가 치는 기상이변을 개인의 범위에만 한정하면 흥미로울 것으로 생각했습니다. 그러나 심사숙고 끝에 각색 소설을 완성하려면 60주가 되어도 부족할 것이라는 슬픈 결론에 이르렀습니다.

"영감님! 영감님!" 여러 차례 부르짖었지만 야속하게도 영감(靈感)이 오지 않았고 속절없이 시간만 흘러갔습니다. 선택에 대한 책임감과 팀별 작업과 마감에 대한 부담감이 밀려와 뇌를 쥐어짰습니다. 감성을 드러내기에는 이미 늦었으니, 이성으로라도 성의를 보이는 것이 낫다고 마음을 먹었습니다. 그래서 제가 가장 편안하게 글을 쓸 수 있는 방식으로, 제 사례를 이야기하려 합니다.

'전체로 보면 별것 아니지만, 개인에게는 별것' : 터닝포인트 계기

'바구니 속의 게들'을 아시나요? 어부가 게를 잡아서 바구니에 잡아넣으면, 그중 몇 마리는 나올 것도 같은데 한 마리도 나오지 않고 바구니 안에 있다고 합니다. 서로 자기가 나가려고 발을 잡아당겨서 그렇다네요. 저는 게 껍데기를 던져 버리고 탈출한 게입니다.

바구니 속 세상의 가장 안쪽은 안락합니다. 이제 막 대학교에 들어온 어린 게들이 집게발을 딸각거리며 유대감을 형성합니다. 같은 전공을 이수한 사람들끼리 부대끼며 비슷한 고민을 함께 나누니 편안함도 느낍니다. 유년기를 벗어던진 게들이 성장하여 조금 더 위로 가고 싶을 때 이 순간부터 끌어내리기가 시작됩니다. 좋은 자리 하나가 나면 서로 가고 싶어서 있는 말 없는 말 지어내는 건 부지기수고요. 자기들끼리 파벌을 형성해서 오징어 다리 하나 떼어주듯이 "여기는 네가 가라, 저기는 네가 가라." 하기도 합니다. 있는 그대로 봐주지 않고, "얘는 이래서 이렇고, 쟤는 저래서 저래." 하면서 소설 쓰는 사람들을 상대하기도 하고, "너는 이렇게 해도 되는 사람이겠지. 왜냐하면 우리와 다르니까."라며 부당하게 작당모의 하는 사람들과 싸우기도 합니다.

겉에서 본 바구니는 문제가 없습니다. 신선한 게들이 한 마리도 기어 나오지 않고 우글우글 가득 차 있으니까요. 몇몇 게들만 생각합니다. '내가 조금 더 노력하면 우리 모두 바깥으로 나올 수 있을 거야.', '다른 게들을 설득할 기회는 아직 남아있어.' 저도 그런 게 중 하나였습니다만 공정한 변화를 기대하기 어려웠습니다. 순간순간 인간에 대한 환멸을 느낄 때마다 내가 좋아서 선택한 전공이라고 애써 되뇌며 실망을 참았습니다. 부정적인 감정들이 화선지에 떨어진 먹물처럼 퍼질 때는 내가 사랑한 학문을 싫어하게 될까 봐 염려되었습니다. 처음의 열정과 순수함마저 잡아먹히면 어쩌나 걱정이 되었고 그것만이라도 지켜내고 싶어서, 자꾸 발을 잡아당기는 게들에게 제 껍데기를 던져주고 쏘옥 맨살로 바구니 밖으로 나왔습니다.

모든 시간과 노력과 성과와 청춘을 내려놓고 헐벗은 채로 맞이한 바구니 밖 세상은 추웠습니다. 바깥바람이 가릴 것 없는 맨몸을 때리는데 너무 매섭고 따가워서 눈물이 났고요. 현실의 시린 공기에 적응되고 이 풍경 저 풍경 유람할 수 있을 정도가 되었을 때 나만의 신상 껍데기를 다시 하나 마련할 수 있었습니다.

너무 개인적인 이야기는 아무도 알고 싶지 않은 과잉 정보가 될 수 있어서 '바구니 속 게들' 비유를 들어보았는데요. 별것 아니라고 남들이 뭐라 할 수 있지만 한 개인에게는 중요한 별일이었던, 흔하고 소소한 터닝포인트의 시작이었습니다.

나만의 단계별 터닝포인트 방법 : 1. 후회 없는 선택을 하는 법

제 인생의 전환점은 스스로 묻고, 답하는 과정 안에서 맞닥뜨리게 되었습니다. 퇴근 후에 산책하면서 머리를 비우는데 그날따라 공원을 몇 바퀴씩 돌아도 마치 깜깜한 비구름 속에 있는 것 같은 느낌을 받았습니다. '바구니 속 게들의 시시콜콜한 사연'도 이유겠지만 스스로 평가해 본 삶이 매우 단출했거든요. '나 참 바쁘게 열심히 살았네.'하고 그다음이 이어지지 않았습니다. 당장 삶의 방식이 바뀌어야 한다는 직감이 들었습니다.

저는 터닝포인트의 기본을 '이직'으로 삼았습니다. 가치관이나 생활 습관이 문제가 된 게 아니고 직업 중심으로 판에 박힌 일상이 문제였기 때문입니다. 예전에는 학교 〉집 〉영화관 또는 일터 〉집 〉산책의 삶을 살았다면 이제는 일터=집=다채로운 취미활동=산책=명상의 삶을 살고 싶었습니다. 그러려면 개척정신으로 새 직장부터 구해야 한다고 보았습니다. 새로운 도전에 나이는 없다고 합니다만 이직 준비에는 나이 제한이 있습니다. 그래서 '확실한 직업 변경을 통한 변화'를 목표로 삼고 여러 가지 대안을 모색해 보고자 했습니다.

보통 무언가를 결정할 때 머릿속에서 대안들을 비교하고 여러 갈래의 방향성을 분석하다 결론에 이르는데요. 이번만큼은 직접 쓰면서 생각하는 방법이 효과적일 것 같아서 A4 종이를 여러 장 가져다 놓고 몇 가지 적어 보았습니다.

1) 현재 직장의 좋은 점, 아쉬운 점, 배운 점, 퇴사의 이유
2) 현재 보유한 자격증, 배우고 싶은 자격증
3) 준비기간(무직)에서 필요한 생활비, 최대 가능한 기간
4) 준비기간 동안 꼭 해보고 싶은 것, 소요 비용과 기간
5) 그동안의 경험을 토대로 이직했을 때, 새롭게 도전할 수 있는 직업 분야 1,2,3

그때의 직업이 대학교-대학원 전공을 이어받아서 선택했기 때문에, 직장을 옮긴다면, 전공도 바꿔야 했습니다. 그래서 한 가지를 더 추가하게 됩니다.

6) 전공을 선택했던 이유, 그때의 감정, 전공을 배우면서 느꼈던 점, 전공의 장단점과 실효성, 이 전공을 계속 유지했을 때의 상황, 전공을 떠났다가 다시 돌아왔을 때의 상황 등

저의 경우, 이 부분은 매우 상세히 적었습니다. 전공과 직업이 연계되지 않았던 분들은 굳이 필요하지 않은 부분이기도 합니다.

위의 과정을 다 끝내놓고 선택만이 남았습니다. 저는 제 마음과 머리가 일치하는 결론을 얻고 싶었습니다. 아무리 좋은 대안일지라도 가슴이 뛰지 않으면 소용없다고 생각했기 때문입니다. 즉각적으로 느낌이 오려면 가시적인 도구가 필요할 것 같았습니다. 빠른 이해가 가능한 효율적인 도구를 연상하다가 양팔 저울을 그려 보았습니다. 둘 중 한쪽으로 고개가 돌아가면 그게 가장 끌리는 선택일 테니까요.

7) 양팔 저울 그리기-시각적 효과

종이를 반 접어서 왼쪽 쟁반에는 '현재'를, 오른쪽 쟁반에는 '바뀐 현재'을 적었습니다. 둘 중 어느 쪽으로 마음이 기우는지 눈을 감고 무게를 가늠해 보았습니다. 이어서 1)번과 5)번의 무게, 1,2)번과 3,4,5)번의 무게를 재어보았습니다.

수입이 없더라도, 전공을 포기하더라도, 손해를 볼지라도, 전혀 모

르는 분야에 가게 될지라도, 나는 기꺼이 오늘을 내려놓을 수 있는가?
라고 자기 자신에게 물었고, 그 무엇이든 지금보다 낫다는 판단을 내
렸습니다.

그렇다면, 이제는 이직을 예상하여 계획해 보기로 했습니다.
  - 아예 다른 기술을 습득하는 쪽으로 갈까? 뜬금없이 기본 교과과
정부터 하는 것은 비효율적으로 보이는데?
  - 설마 나름 15년간 해온 전공에서 쓸만한 것들이 없을까?
하며 꼬리에 꼬리를 무는 질문을 하다가 머릿속이 복잡해져서 차라
리 벤다이어그램을 그려보기로 했습니다. 교집합, 합집합, 나오는 그
벤다이어그램이요. 이 그림이라면 확실히 깔끔하게 생각을 정리할 수
있을 것 같았습니다. 학창 시절 수학 교과서에 별 흥미를 느끼지 못했
는데, 불현듯 생각이 떠올라서 활용하고 있다니! 아무튼 정말 열심히
벤다이어그램을 그렸습니다.

8) 직업군 벤다이어그램 그리기
워크넷 사이트 직종 선택란에 보면 1차 분류, 2차 분류, 3차 분류 이
렇게 나오는데요. 분류 항목을 검색하면서 '내가 잘할 수 있을 것 같은
직업'을 별도로 기록하였습니다. 그리고 추려진 직업마다 개별 대입
을 하여 여태까지 익혔던 전공 기술을 활용할 수 있는지, 활용한다면
어디까지 응용할 수 있는지를 적었습니다.

이러한 과정을 반복하면 벤다이어그램이 여러 개가 나오는데요. 이 중 취업할 수 있을 것 같은 분야로 1순위, 2순위, 3순위를 매겼습니다. 마지막으로 전공의 범주 끝자락에 걸쳐 있는 직업을 지원했을 때, 그 곳에서 물적·지적 자원투입을 얻어서 새로운 것을 배우는 방향까지 최종적으로 점검했습니다.

첫 번째 과제를 끝내놓자 머리가 맑아졌습니다. 이제 그동안 열심히 일한 제게 당당히 상을 수여해도 거리낄 것이 없겠다고 여겼습니다. 막무가내로 퇴직하여 '이참에 잘 되었다! 벌어놓은 돈으로 여행이나 가자. 어떻게 되겠지.'는 선택 이후의 나에 대한 예의가 아니라고 생각했기 때문입니다. 새로운 미래의 스케치 그려졌으니 여행을 떠날 차례입니다.

휴가가 아니라 완전히 일상을 떠났다가 오는 장기 여정을 계획했습니다. 앞으로 이 여행을 기준으로 인생 제2막이 올라간다는 일종의 의식이었습니다. 유럽 여행 노선 중 산티아고 순례길을 중간에 넣었는데요. 종교적인 의미로 산티아고 길을 걸을 수도 있지만 저는 인생을 되돌아보는 기준점으로 삼고 길을 완주하였습니다. 프랑스, 모나코, 스위스, 영국, 독일, 이탈리아, 바티칸시티, 오스트리아, 룩셈부르크, 벨기에, 그리스, 스페인, 포르투갈 여행을 원 없이 했고요. 그해 가을 가족들과 함께 다시 순례길을 방문하여 한해의 봄 경치와 가을의 풍경을 볼 수 있었던 것도 행운이었습니다.

여행은 혼자 다녀왔습니다. 그동안 살아온 시간을 한 권씩 한 권씩 책으로 만들어서 [나]라는 책장에 정렬해 보는 시간이 필요했기 때문입니다. 확실히 혼자 하는 긴 여행은 장점이 훨씬 많습니다. 한 장소가 마음에 들면 시간에 구애받지 않고 머물 수 있다는 점, 그 나라의 사람들의 일상을 가까이서 체험할 수 있다는 점, 그리고 인간관계를 자연스럽게 정리할 수 있다는 점을 들 수 있겠네요. 지리적으로 상당히 먼 거리에 있고 시차가 몇 시간씩 있어서 어색하지 않게 기존의 인간관계에 쉼표를 찍을 수 있기 때문입니다.

새 출발을 하는데 전공과 직업만 탈출하고 인간관계 탈출을 하지 못한다면, 제대로 된 터닝포인트가 아니라고 여겼습니다. 일종의 방향

전환을 하는 것인데 유턴의 요소가 있다면 과거를 자꾸 되돌아보지 않겠습니까. 이 부분은 마지막 마음을 단단하게 다잡는 법과도 연관이 되는데요. 인간관계를 정리한다는 것은 좋지 못한 이들을 끊어내는 일차원적인 것도 있겠지만, 어느 한 편 우유부단한 나 자신에게 결단을 내리는 행동이기도 했습니다.

나만의 단계별 터닝포인트 방법 : 2. 홀가분하게 인간관계 정리하는 법

두 번째 과제는 비행기를 기다리며 진행하였습니다. 유럽 여행할 때 기차도 좋지만, 때때로 새벽 비행기를 타면 유리하기도 합니다. 아침부터 관광을 시작하면 온전한 하루를 얻는 느낌이기도 하고, 기차보다 더 경제적인 가격으로 나라 간 이동을 할 수도 있습니다. 운 좋게 만나는 항공사 특가 아침 식사도 맛있고요.

제목에는 홀가분하게 인간관계를 정리하자고 했는데요. 이해득실을 따지는 인맥 관리의 의미가 아니라 '스트레스 해소'의 의미가 더 큽니다. 사람들이 다 내 맘 같지 않다는 것은 익히 잘 알고 있는 사실입니다. 그럼에도 왜 기대를 품게 되는지 알다가도 모르겠습니다.

저는 다음과 같은 기준을 세워서 작업을 수행했습니다.

1) 있어도 되고 없어도 되고 연관짓기 애매한 사이 우선 삭제하기.
예를 들면, 업무상 만남, 친구의 친구, 광고가 있겠네요.

2) 심력을 소모하게 만드는 사이 빠르게 삭제하기

한 명씩 이름과 사진을 보며 일화를 떠올리는 것이 도움이 되었습니다. 대표적으로는 변화하려는 노력 없이 반복 상담하는 사람, 자신의 상황에만 몰입된 사람, 필요할 때만 연락하는 사람, 타인의 수고로움을 당연하게 여기는 사람 등 자신의 기준에서 '이건 아니다' 싶은 사람들을 삭제하면 될 것 같습니다.

3) 아무리 친할지라도 변한 관계는 정리하기

만나면 동심으로 돌아갈 수 있는 친구가 있습니다. 쌓아온 추억만큼 앞으로도 볼 날이 많을 줄 알았지요. 하지만 어느 순간 친구가 일상의 안부를 건네는데 제가 해결해 주길 바라는 용건이 숨겨져 있다는 것을 발견하게 되었습니다. 좋았던 추억을 상기하며 마음의 생채기를 지속해서 감내하겠다는 것은 성인군자 급이나 가능하리라 여겨 이만 안녕을 고했습니다.

이제 연락처에는 있는 그대로 나를 봐준 친구들, 사회에서 만난-인간성 좋은 사람들, 사랑하는 내 가족들만 남았습니다.

나만의 단계별 터닝포인트 방법 : 3. 단단하게 마음 잡는 법

인생의 전환점을 맞이하여 계획과 결단을 말했을 때, 지인들에게 축하도 많이 받았지만, 질문도 많이 받았습니다. 정리하자면 "그동안 해온 길을 바꾸는 건데 후회하지 않겠니?"입니다. 여기에 답하는 것이 세 번째 과제의 내용입니다. 선택 이후를 대하는 관점이 제 나름대로 단단하게 마음을 잡는 방법입니다.

살면서 작은 선택, 큰 선택을 합니다. 생각나는 대로 써보면, 작은 선택은 음식 메뉴 선정, 선물 고르기, 여행지, 물품 구매 등이 있겠고, 큰 선택은 진로, 직업 등이 있겠네요.

작은 선택의 예를 들면, 친구와 제가 한 달 간격으로 같은 상품을 산 적이 있었습니다. 저는 원가로 샀고, 친구는 25% 할인된 가격으로 상품을 얻었습니다. 친구는 너무 아깝지 않으냐, 어떡하느냐고 대신 걱정해 주었는데요. 친구의 마음은 고마웠지만 저는 별다른 감흥이 없었습니다. 왜냐면 그걸 선택한 건 당시 최선이었기 때문입니다. 이미 이것저것 비교해서 가장 나은 것을 골랐고, 한 달이나 시간이 흘러갔으니까요. 물론 하루 차이로 어떤 물건에 대한 가격이 달라졌다! 그러면 그때는 가서 소비자 지원 창구 이런 데에 건의는 하긴 합니다. 할인 기간 공지를 하지 않아 소비자 우롱처럼 느껴지니까요. 여행지도 비슷합니다. 경로가 틀어져서 아름다운 성을 볼 수 없게 된 적이 있었습니다.

이미 놓친 성 하나 아쉽다고 그 감정을 계속 되뇌지 않고, 앞으로 갈 곳의 경이로움을 소개하는 안내 책자에 집중하였습니다. 그편이 더 마음이 편안해지니까요.

 큰 선택인 진로와 직업도 그렇습니다. 로버트 프로스트의 '가지 않은 길'이라는 시는 선택에 대해서 잘 표현해 주어서 좋아하는 시 중의 하나입니다. 시인의 두 갈래 길을 제 감성으로 바꾸어 보았는데요. 제 선택은 가시투성이를 헤치고 나아가 만나는 꽃길과 꽃은 없지만 잘 닦인 황톳길 중 하나였습니다. '과거의 나'는 꽃길을 선택했습니다. 그 길은 좁은 길이지만 꽃이라는 멋진 이상이 있다면 가시덤불에서도 춤을 추며 나갈 수 있다고 생각했습니다. 이를 선택하기까지 치열하게 조사하고, 치열하게 고민했습니다. 그리고 꽃길에 가까이 다가갔고, 꽃내음도 맡아보다가, 향기에 취해 나 자신을 잊어버릴까 봐 걱정되었습니다. 그래서 꽃길에서 비켜 나와 숲길로 들어가기로 했습니다.

 제가 생각하기에 마음 건강을 무의미하게 소비하는 행위는 황톳길을 걷고 있다가 저쪽에 있는 꽃길 보고 '아, 그냥 한번 가시덤불 헤쳐 볼 걸 그랬나?' 후회하고 반대로 가시덤불 헤치다가 꽃길을 만나 한숨 돌리다가 저편에 있는 황톳길을 보고, '어쩌면 저 길 끝에 나무가 있을 수도 있지 않을까?' 갈팡질팡하는 것입니다. '가지지 못한 길이 그렇게 아쉬웠다면 더 늦기 전에 도전하고, 아니라면 깔끔하게 아쉬운 감정을 털고 가던 길 격려하며 쭉 가든지, 아니면 확실하게 한 길 끝내놓고 새 길을 개척하자.'가 정신건강에 낫다는 게 저만의 선택법 중 하나입니다.

덧붙이자면, '고민하는 것이 잘못된 것이다. 과거의 선택보다는 새로운 시작이 좋은 것이다.'의 의미는 아닙니다. 내적 갈등을 겪는 건 다음 발전을 위한 긍정적인 발판이 될 수 있지만, 계속 되풀이해서 생각하고 후회하는 건 부정적인 걸림돌이 된다고 보았습니다. 과거의 길이 후회와 아쉬움으로 점철되진 않고 인생 경험을 주기도 하니 이 또한 현재를 위한 디딤돌로 삼으면 됩니다. 저 역시 과거 꽃길을 지나며 얻은 것보다 잃은 것이 많기는 하지만 뭐라도 남은 것들이 있었기 때문에 숲길을 걸으며 피해야 하는 것 잘 피해 가며 걷고 있어서 다행이라고 여깁니다.

따라서 과거의 나 자신에게 가장 나은 길을 통해, 지금의 내가 뚜벅뚜벅 본연의 길을 잘 걸어가고 있다고 생각합니다. '지금 내가' 여가 시간에 좋아하는 취미활동을 하고, 원하는 것을 사고, 여행 다니고, '지금 내 곁에' 고마운 이들을 만나 마음을 나누며 살며 느끼는 감정-즐거움, 신남, 활기참, 재미있음, 편안함, 행복-이 이미 흘러간 시간의 감정보다 훨씬 중요하지 않겠습니까. 선택 이후 마음을 단단하게 잡고 걸어 나간다면, 지금의 나에게 흔들리지 않는 미래가 쌓일 것입니다.

일단 시작하면 확신을 밀고 나아가는 게 가장 중요합니다. 이후 이루어지는 사람들의 평가는 비평과 비난을 분리하여 받아들입니다. 비평은 고마운 관심입니다. 각자의 기준에서 이야기해 주는 것이니 사람마다 각기 다른 삶의 태도를 볼 수 있습니다. 그 속에서 좋은 것을 골라내어 내 삶에 날개를 달아주면 됩니다. 왜냐면, 나라는 사람 본질을 비평한 게 아니기 때문입니다. 비난은 근거가 없으므로 한 귀로 듣고 한 귀로 흘려보냅니다. 굳이 쓸데없는 소리 귀담아듣고 심력 소모할 필요가 없으니까요.

정리하자면,

- 결정을 내리기 전, 최대한 많은 것을 고려하고 심사숙고하여 후회 없는 선택하기

- 결정 이후, 뒤돌아보지 말고, 그 부분에 대한 잡념을 비워 버리기

- 비평에서 좋은 것만 골라서 내 삶에 적용하기

- 비난 같은 심력 소모를 만드는 행위들은 빨리 흘려보내기

- 현실의 모든 것에 충실하기: 일, 사람, 사랑, 감정, 취미, 휴식, 등

- 다가올 것을 기대하기 6가지입니다.

이렇게 마지막 과제를 수행하였습니다.

후일담 : 터닝포인트 이후

이 글을 쓰는 지금 저는 새 직장에서 일한 지 3년 차에 접어들었습니다. 장기 여행을 포함하여 1년 넘게 충분히 쉬어서 더 이상 무직 기간을 늘리고 싶진 않았습니다. 전공의 범주 끝자락과 교집합을 이루는 직군으로 최대한 빠르게 직장을 옮겼습니다. 일부 수월한 직무영역도 있지만 예전 직업보다 좀 더 힘들고, 어려운 일을 하고 있습니다. 당연한 일입니다. 그걸 알고 지원했으니 새로운 경력을 만들려면 특이 사항이 없는 이상 감안하고 일해야지요. 이를 통해 도약의 발판을 마련할 수 있습니다. 휴무 날에는 예전보다 다양한 취미생활을 하기도 하지만, 틈틈이 현재 직무에 도움이 되는 자격증을 이수하거나 학점은행제로 미래 대비 새로운 전공을 배우기도 합니다. 알아보니까 대학교 전공은 최대 3개까지 되고, 대학원 전공은 2개까지 된다네요. 그래서 대학원 전공 하나는 뭐로 채울지 상상하며 미래의 시간을 기대하고 있습니다.

제가 어쩌다가 '나만의 단계별 터닝포인트 방법'에 대해 쓰게 되었는데요. 이 글쓰기 프로젝트를 지원할 수 있게 되었던 것도 몇 년 전의 터닝포인트 덕분입니다. 새로운 경험으로 인생을 다채롭게 채우기로 약속했고, 1년에 한두 개씩 즐거운 도전을 하며 살기로 했기 때문입니다. 비록 '영감(靈感)'이 오지 않아서 소설은 쓰지 못했지만, 감사하게도 초심(初心)이 다시 찾아와 주어서 글을 완성할 수 있게 되었습니다.

혹시 모를 누군가에게 도움이 된다면 더욱 좋고요. 저와 비슷하게 사고하는 분이 계신다면 반가울 것 같아요. '아 저렇게 하는 사람도 있구나'라고 이해해 주신다면, 그것으로도 만족합니다. 모쪼록 전환점의 길 위에 선 분들을 응원하며 제 이야기를 마칩니다.

왜 걸어요?

브리에나 최

브리에나 최 서울에서 올림픽이 열리던 1988년에 부산에서 1남2녀의 둘째 딸로 태어났다. 부산에서 중학교를 마치고 인도네시아로 건너 가 국제 학교에서 일년 동안 영어 공부를 한 뒤 부모님을 강제 설득해 호주 멜버른으로 혼자 유학을 갔다. 그 후 멜버른에서 고등학교, 대학교를 마치고 금융회사에서 투자 자문가 10년 일하고 2023년 안식년을 가지고자 사표를 낸다. 혼자 떠나는 배낭여행을 좋아하고 여행지에 도착해서 유심카드 없이 몇 일을 견딜 수 있는 실험해 보는 것을 좋아한다. 그래서 같이 여행하는 사람들이 연락두절로 고생할때도 있다. 30대 중반에 호기심 많고 꿈도 많은 자유로운 영혼의 소유자.

instagram: @brianna.choi

신띠아와 나는 당 충전이 시급했다. 주변에 있는 아이스크림 가게를 구글맵으로 검색하던 중 뒤에서 누군가 말을 거는 것을 느꼈다. "저기 아가씨들, 혹시 스페인어 하실 줄 아시나?" 다정한 목소리의 주인공은 키가 내 어깨 정도로 오는 까무잡잡한 피부에 뽀글뽀글한 머리가 인상적인 아주머니. 아주머니 옆에는 올챙이 배를 가진 백발의 할아버지. 한 손에는 지팡이를 들고 벽에 몸을 기댄 채 아저씨는 간단한 눈인사를 하셨다. 산들바람에 펄럭이는 흰 린넨 셔츠는 마치 이탈리아 피렌체 길거리에서 그림 그리는 괴짜 예술가를 연상케 했다. 칠레에서 왔다는 노부부에게는 '여유로움'이라는 향이 풍겼다. 슬픈 표정으로 지으며 "죄송해요, 저희는 스페인어를 못해요."라고 대답했고 아주머니는 빙그레 웃으시며 "아, 괜찮아요. 순례길 걷나요?"라고 물으셨다. "네, 저희 오늘이 이틀 차예요"라고 대답한 뒤 급하게 '본 카미뇨! (잘 걸어요!) 라고 서로를 응원하며 다시 걸음을 재촉했다.

우리는 근처 구글평이 4.8인 젤라토 아이스크림에 도착했다. 여름의 한더위가 클라이맥스로 다다른 7월 초. 이 날씨에 장시간 길을 걷다 보면 중간에 먹는 간식은 가뭄에 단비처럼 소중했다. 색도 맛도 다양한 아이스크림 통들이 무지개 빛깔처럼 진열되어 있는 관경에 마음은 최고조 상태에 일렀다. 동심으로 돌아간 기분이다. 우리는 말없이 아이스크림 통들을 응시했고 두가지 맛을 고르는 과정은 진중하고 까다로웠다. 나는 "하나 시켜서 나눠 먹을까?"라는 마음에도 없는 질문을 했다. 이 질문에 본질은 '우리 그렇게 친한사이 맞어?'를 품고 있을지도. 신띠아는 재빠르게 "아니야, 각자 하나씩 시켜 먹자"라며 나의 제안을 일초의 망설임도 없이 보기좋게 묵살 시켜주었다. 나는 딸기와 치즈케이크 맛 신띠아는 초콜렛과 티라미슈 맛을 골랐다. 아이스크림을 좋아한다는 점만 같을 뿐, 우리의 '맛' 취향은 자석 n극과 s극 같았다. 사실 여행을 하다보면 이런 사소한 부분에서 의견이 나뉘고 서운해지기 십상이다. 다시 생각해도 각자 아이스크림을 시킨 건 신의 한수. 신중하게 아이스크림 한 스푼을 떠서 눈을 감고 그 맛을 천천히 음미했다. 상큼한 딸기향이 내 혀 끝으로 은은하게 퍼지자 나도 모르게 어깨가 들썩이고 돌덩이 같던 내 발걸음은 한결 가벼워졌다. 휴식과 아이스크림은 항상 옳다. 내일은 어떤 맛의 아이스크림을 먹어볼까? 내일 해도 충분한 고민을 오늘부터 하기로 했다.

포르투갈 – 스페인 코스는 하루평균 15킬로로미터씩 이주일동안 총 300키로 미터를 완주하는 코스다. 해변가 옆을 걸으며 맡는 바다 냄새, 파도 소리, 그리고 따스한 햇살. 모든것이 완벽했다. 바닷가 모래사장에 앉아서 눈을 감고 어깨를 뒤 젖힌 채 푸른 바다의 향기를 온 몸으로 느낄 때면 모든 게 평온했다. 아무런 조건 없이 그저 먹고, 자고, 걷기만 하면 되는 이주의 시간. '내가 이런 행복을 누릴 자격이 있는 사람인가' 죄책함 마저 들게하는 따뜻한 오후의 바다 풍경이었다.

포르투칼 순례길 첫날 – 포토 (Porto) 해변가 6.5키로미터 지점에서

　순례길을 걸으며 여러 나라에서 온 다양한 사람들을 만났다. 얼굴
색도 머리 색깔도 사용하는 언어도 다 제각각이지만, 우리는 모두 같
은 길을 걸으며 같은 종착지를 향해 한 발짝 씩 나아갔다. 사실 그들의
언어를 이해하고 이해하지 않고는 딱히 중요하지 않다. 대화의 대부분
은 '본 까미뇨 (잘 걸어요)!" 혹은 "오늘 컨디션 어때? 그리고 몇 킬로
걸어?"쯤으로 시작해서 끝나기에.

　한적한 포르투갈 해변가 동네, '오이'라는 북부 도시를 아침 새벽부
터 걸었다. 어제저녁 내렸던 보슬비에 꽃들은 더 활짝 웃고 있었다. 식
물을 좋아하는 신띠아는 연신 핸드폰 카메라로 꽃들을 찍으며 "우리
엄마가 이 꽃들을 보면 정말 좋아하실거야"라고 말하며 찍은 사진 몇
장을 엄마에게 문자로 보냈다. 평소보다 빠른 엄마의 답장에 그녀는

행복해한다. 문득 그런 생각이 들었다. 그녀가 좋아하는 건 아름다운 꽃 그 자체일까, 아님 꽃 사진들을 보고 행복해 할 엄마의 모습을 상상하는 그녀의 모습일까?. 이유야 어찌 됐든 그녀가 행복해 하니 나도 기분이 좋아졌다. '우리 엄만 꽃보다 돈을 더 좋아해'라고 말을 하려다 하지 않기로 했다. 꽃은 좋아하지 않는 여자가 어디 있으랴. 다만 엄마의 청춘은 생화를 즐길만한 사치로움이 허락되는 삶이 였을뿐. 엄마는 종이 꽃 접는 걸 좋아했고 우리집은 항상 종이꽃에서 풍겨나는 비누향이 가득했다. 시들지 않는 영원한 꽃.

그때 멀리서 양 떼 무리가 괴성을 내며 우리쪽으로 걸어왔다. 흰색, 검은색 그리고 두 색을 섞어 놓은 듯한 반항아 중간색의 양떼였다. 그 중에서도 한겨울 첫눈같이 뽀얗고 눈동자가 유별나게 초롱초롱한 새끼 양 한 마리가 눈에 띄었다. 풀을 뜯어 먹느라 정신이 없다가도 어미 양이 어디에 있는지 중간중간 검사는 빼놓지 않았다. 그 모습을 보니 어릴 적 엄마랑 재래시장 가던 내 모습이 떠올랐다. 맛있는 분식들이 즐비한 시장 통로를 걸을때면 그 광경에 정신이 팔리다가도 혹여나 놓칠까 엄마 뒷모습에 눈을 떼지 못하던 나의 모습. 양치기 소년이 새끼 염소에게 빨리 가자고 재촉하듯 막대기를 땅에 통통 쳤다. 아기 양들는 폴짝폴짝 뛰며 그 소리에 맞춰 율동하듯 뒤뚱뒤뚱 걸음 속도를 높였다. 우리의 촬영을 의식이라도 하듯 양들이 카메라 렌즈 가까이 와서 코를 한번 킁킁 맡아 보곤 엄마양의 뒤를 재빠르게 따랐다. 엄마양은 알까? 이 귀여운 새끼도 조금 시간이 지나면 자기 스스로 모든 것을 할 힘이 생길테고 그럼 지금처럼 엄마의 뒷모습을 사랑하지 않을 수도 있다는 사실을.

걷기 사흘째 되던 날 아침, 나는 내 발을 보고 경악을 금치 못했다. 오른쪽 엄지 발가락과 두 번째 발가락에 종기같이 큰 물집이 각 발에 2개씩 생겨 발을 바닥에 딛는 순간, 나의 의지와 상관없이 인상을 찌푸리게 됐다. 머릿속이 하얘졌다. 앞으로 일주일 하고도 반이 남았는데 이런 발 상태로 어떻게 걸어가지? 내가 당황한 순간, 나의 여행파트너 신띠아는 미리 준비해 온 물집 전용 반창고를 나에게 건네주며 대처 방법을 차근차근 설명해 주었다.. 의약 연구 박사인 친구와 여행을 하면 이런 게 좋구나! 내심 뿌듯했다. 신띠아는 여행내내 나를 엄마처럼 큰 언니처럼 잘 보살펴줬다. 스티브 잡스의 명언 *'If you want to go fast - go alone. but if you want to go far - go together'* (*빨리 가려면 혼자 가고 멀리 가려면 함께 가라*) 가떠올랐다. 만약 혼자 이 길을 걸었다면 이런 순간 더 당황했을 테고, 더 쉽게 포기했을지 모른다. 하지만 신띠아와 함께 가는 이 길이기에, 조금은 늦을지라도 우리가 끝까지 이 순례길을 무사히 마칠 수 있을 거라는 자신감이 들었다.

발에 반창고를 왕창 붙이고 조금은 어색한 걸음걸이로 다시 걷기 시작했다. 엎친 데 덮친 격으로 이 날은 우리의 여정 중 가장 길거리, 30

킬로미터를 걷는 날이였다. 꼭 이런 날은 일기예보가 보기 좋게 빗나간다. 점심시간에 쏟아지는 폭우에 생쥐처럼 온몸이 비에 젖고 물이 흥건한 신발 안에서는 퉁퉁 부은 발가락들은 소리 없는 투쟁을 시작했다. 숙소 도착 10분 전이 되자 기진맥진. 우린 말없이 그냥 땅만 보고 걸었다. 내딛는 한 걸음 걸음이 고통이였다. 발을 확인하는 순간 포기하고 싶은 충동이 생길 것 같아 우리는 그냥 걸었다.

28.85키로미터를 7시간 50분만에 걷고 숙소에 와서 다리를 풀고 있는 중.
발 다리는 구운 닭

비를 쫄딱 맞고 숙소에 도착하자마자 소파에서 쓰려짐. 옆에 여권을 꺼내놓고
힘이 없어서 옆에 두고 '나는 누구 여긴 어디?' 라고 내 자신에게 묻는중.

이날 경험을 통해 우리는 잘 걷는 것만큼이나 잘 회복하는 것이 중요하다는 사실을 깨달았다. 기분좋게 와인 한잔씩을 걸치고 알딸딸한 기분으로 근처 약국에 슬리퍼를 끌고 갔다. 물집 전용 반창고와 피로 회복용 족욕 소금을 한 박스씩 사서 숙소로 돌아왔다. 30분씩 따뜻한 물에 족욕을 하고 9시에 취침 완료. 순례길 걷기 일주일 정도가 되자 우리의 몸도 새로운 생활 패턴리듬에 적응이 된것 같았다. 기상과 취침 시간 그리고 걷는 중간에 섭취하는 견과류와 초콜릿 당충전. 정해진 루틴에 우리몸이 완벽하게 적응해 최상의 컨디션을 뽐내줬다. 역시 인간은 적응의 동물이 아니었던가.

스페인 사람들은 와인을 참 좋아한다. 분위기 좋은 식당에서 식전 와인을 주문하지 않는 것은 추운 한겨울 꽁꽁 언 손을 입에 대고 입김을 불며 입장한 순두부전문전에서 서비스로 주는 버섯계란찜을 거부하는 일만큼 흔치 않은 일이다. 로마에 가면 로마법을 따르는 법. 그래서 나 역시 스페인에 머무르는 동안 그들의 방식을 따르기로 했다. 점심을 먹을 때마다 화이트와인 소비뇽블랑 한잔을 시키기로 했다는 의미다. 시골 인심은 후했다. 와인 반 병 같은 한잔. 마시는 순간 "아니 이건 와인이 아니잖아!" 상큼한 백포도의 향이 입속 잔잔히 퍼졌다. 알코올 도수가 현저히 낮았고 두잔까지 가볍게 마실수 있었다. '이 사람들은 포도주를 정말 즐기면서 마시는구나'라고 생각했다. 자주 마시되 취하기 위해서가 아닌 음식과 함께 음미할 수 있는 하나의 반찬의 개념으로 술을 대하는 태도. 그 태도가 그리울 것 같다.

두잔을 마셔야 다음 10키로미터를 걸을 힘이 나니까

우린 여느 때와 다름없이 조식을 먹으러 숙소 식당에 갔다. 신선한
채소 샐러드와 오트밀 죽을 담아 테이블로 돌아오는데 이게 누군가!
칠레 노부부가 아닌가. 여전히 말괄량이 같은 귀여운 미소를 가진 아
주머니는 우리를 보자마자 신이 나서 큰 소리로 "안녕 아가씨들!'을
외치며 우리 곁으로 정겹게 다가오셨다. '같은 테이블에 합석해도 되

겠어?' 라는 말 따윈 사치인 양 당연하게 우리 테이블 정중앙에 자리를 잡으셨다. 아저씨는 멀리서 이 광경을 지켜보시곤 '아이고 저 할멈 또 시작이네. 재밌게들 수다 떨어요. 난 오랫만에 혼자서 고요한 식사를 하겠소'라는 표정을 지으시며 우리 테이블과 반대편에 자리를 잡고 손을 내 지으셨다.

아주머니의 서툰 영어와 우리의 서툰 스페인어는 우리의 대화를 더 흥미롭게 만들었다. 효과적인 대화의 70퍼센트 비중을 바디랭귀지가 차지하는 내용의 기사를 읽은 적이 있다. 지금 우리의 상황이 그 주장을 증명해 주었다. 아주머니는 조심스럽게 "아가씨들 몇살이야?" 물어보시곤 우리의 얼굴을 빤히 쳐다보셨다. 그녀의 눈에는 슬픔과 행복이 공존하는 것 같은 느낌을 받았다. 그렇게 잠깐의 어색한 정적이 흐른 후, 아주머니는 다시 생기 있는 얼굴로 말을 이어 가셨다. 첫째 아들이 호주에 있다고. 결혼해서 가족들과 모두 브리즈번이라는 도시에서 사는데 거리가 멀어서 자주 보지 못해 아쉽다며 호주 멜버른에 거주하는 우리를 보니 아들 생각이 더 난다고 하셨다. 아주머니는 아들만 3명이 있다며 말꼬리를 흘리셨다. 그런 아주머니 눈에서 우리 엄마가 보였다. 자식을 너무 사랑하는 자식바보 엄마의 눈빛. 우리에겐 분명 언어의 장벽은 존재했지만, 대화엔 온기가 넘쳐났다. 진심이 담긴 대화는 가슴으로 하는 거니까.

그렇게 즐거운 아침 식사를 마친 후 우리는 가벼운 인사를 마치고 다시 길을 걸었다. 아주머니가 귀여운 뿔테 선글라스를 끼고 걸으셨다. 대부분은 사람의 배낭에는 중간중간 먹을 간식, 물 그리고 날씨 변화 대비를 위한 비옷 그리고 상비약이 있다. 그에 비해 이 부부는 단출하다. 아주머니는 물병 하나에 수건 하나 정도 들어가는 크기의 크로스백, 아저씨는 그냥 지팡이 하나에 조리 신발을 신고 걸으셨다. 이후, 칠레 부부는 그러고도 순례길 도중에 두세 번 더 마주칠 기회가 있었고 그들을 볼 때마다 우리는 행복한 기운을 받았다. 70대의 나이가 무색하게 그들은 부지런하고 누구보다 이 길을 책임감 있게 걷는다는 느낌을 받았다. 우리보다 더 이른 아침시간에 출발 했고 우리보다 더 먼 거리를 걸었다. 한번은 다리가 많이 뭉쳤다고 '오늘은 좀 힘드네'라고 하소연하는 그 순간에도 웃음을 잃지 않는 모습. '참 걷기를 좋아하는 부부구나' 내가 그들을 바라보는 관점을 그랬다.

칠레에서 온 70대 노부부. 멋진 선글라스에 지팡이까지 순례길위에 패셔니스트

어느새 마지막 날이 밝았고, 오늘만 지나면 더 이상 아침마다 선크림 반 통을 얼굴에 바르고 내 얼굴에 3배의 크기인 창모자를 쓰지 않아도 된다는 생각에 기분이 들떴다. 여느 때와 같이 아침식사를 진심으로 대하는 우리는 든든하게 아침식사를 마친 뒤, 가벼운 마음으로 마지막 순례길행에 올랐다.

그렇게 5시간을 걷고 종착지인 산티아고 데 콤포스텔라에 도착했다. 마지막 이백 미터를 남겨 둔 지점부터는 가슴이 콩닥콩닥 뛰었다. 그리고 지난 이 주간의 시간이 머릿속 주마등처럼 하나하나 스쳐 지나갔다. 사실 그냥 걷고, 먹고 자고 이것만 반복적으로 한 시간이었는데 무엇이 나의 감정선을 자극하는지 나도 모르게 격해진 감정에 눈물이 흐른다. 처음 느껴보는 묘한 감정이었다. 누가 미리 알려줬으면 마음의 준비라도 했을 텐데. 나만 이렇게 감정적인 건 아닌지 옆 사람들을 쳐다봤다. 눈물을 훔치는 사람 다리가 아파서 바닥에 철퍼덕 앉아 있는 사람 서로를 부둥켜 안고 등을 어루만져 주는 사람들. 순례길에서 만난 사람들의 머리색깔만큼이나 다양하고 재각각의 모습이었다. 먼저 도착한 신띠아가 성당이 제일 잘 보이는 정중앙 쪽에 바닥에 앉아서 나를 불렀다. "브리에나 이쪽이야!". 방금 전까지만 해도 한 발 내디딜 힘도 없었는데 어디서 그런 힘이 났는지 나는 울먹거리며 그녀가 앉아있는 쪽을 향해 뛰어갔다. 그런 나를 그녀가 다가와 꼭 껴안아주며 '수고했어'라고 내 등을 어루만져 줬다. 이주간 이 여정을 함께 해온 신띠아에게 나도 "이 길을 같이 걸어줘서 고마워. 너보다 더 좋은 파트너는 없었을 거야" 라고 내 마음을 고백했다.

　말로만 듣고 영상으로만 보던 산티아고 데 콤포스텔라 대성당 앞에 지금 우리가 서있었다. 한참을 말없이 그냥 멍하게 서 있었다. 성당의 웅장함과 스케일에 완전히 압도당했다. 76m 높이로 유럽에서 가장 높은 길이를 자랑하는 1211년에 지어진 대성당. 이 규모의 성당을 짓기 위해 얼마나 오랜 시간과 많은 이들의 땀과 노력이 길들여져 있을까. 그리고 얼마나 많은 사람들이 이 길을 걸었을까. 많은 질문이 뇌리에 스친다. 종교의 힘에 한번 놀라고 '인간의 능력의 한계점은 내가 상상할 수 없는 범위에 있는 것이구나'라는 생각에 한번 더 놀랐다. 마침 이 길을 걸었던 군인들 단체 세레모니도 운 좋게 볼 수 있었다. 그들은 200킬로미터를 삼일 안에 걷는 훈련을 마친 후였다. 3일 동안 거의 잠도 자지 못한 채 이 길을 걸었을 청년이라고는 믿기 어려울 만큼 건강한 에너지가 있었고 그들을 축하하기 위해 모인 가족들은 오늘을 기억하기 위해 성스러운 이 성장을 배경으로 다양한 각도의 사진을 찍는다. 이곳은 가히 축제 분위기였다.

마지막날 신띠아와 산티아고 데콤포스텔라 대성당 앞에서 활짝 웃으며 찍은
기념 사진. 물집 때문에 신발을 벗고 포즈를 취한 나

그렇게 주변 사람들과 화기애애한 분위기에서 간단한 대화를 나누던 중 우리는 어디선가 귀에 익은 목소리가 들렸다. 이번에도 칠레 노부부였다! 우리의 첫 만남 때보다 10배 정도 더 큰 소리로 "안녕 아가씨들!"를 외치며 아주머니가 다가왔고 말없이 우리는 서로를 부둥켜안았다. 부부도 눈시울이 붉거졌다. 지난두 주 동안 봐왔던 그들의 장난꾸러기 같은 모습과는 사뭇 다른 모습.

　아주머니는 갑자기 유창한 영어로 우리에게 말을 이어나갔다. "사실 오늘은 우리에게 매우 특별한 날이에요. 우리에겐 당신들과 나이가 비슷한 아들이 있었어요. 맞아요 과거형이죠. 오늘은 그 아이가 죽은지 정확히 10년되는 날이죠. 이날을 추모하기 위해 우리 부부는 이 길을 걷기로 했던 거예요".

　너무 놀란 나머지 어떤말을 어떻게 해야 할지 몰라 머뭇거리는 우리를 보곤 아주머니는 차분하게 이어 나가셨다. "사실 지난 이주동안 너무 힘들어서 걷기를 얼마나 포기하고 싶었는지 몰라요. 우리 저녁마다 많이 울었어요". 가슴이 먹먹해지고 순간 눈물이 핑 하고 돌았다. 말없이 아주머니를 꼭 껴 안았다. 하루에도 천명이 넘게 오가는 이 성당 광장앞에 아주머니와 나 두 사람만이 존재하는 것 같은 기분마저 들었다. 아저씨 역시 말없이 눈물을 훔치며 먼 산을 바라보았다. 그는 그렇게 한참이나 고개를 돌리고 큰 숨을 들이마셨다 내쉬었다를 몇 번이고 반복했다.

"우리 아들은 운동을 참 좋아했어요. 스키도 선수급으로 잘 탔죠. 칠레에서 유명한 스키장서 친구들과 스키를 타러 갔다 사고를 당해서 그 자리에서 즉사했어요. 누구보다 밝고 건강한 아이였는데. 그래서 순례길을 걷다 힘들 때면 다른 생각 없이 그냥 그 아이만 생각했어요. 그래서 우리는 이 길을 완주할 수 있었구요. 우리 아들과 함께 걸은 길이에요".

그제서야 많은 것들이 이해되었다. 왜 식당에서 우리를 마주쳤을 때 한동안 우리의 얼굴을 망하니 바라보셨는지. 영어를 곧잘 하심에도 불구하고 개인적인 얘기를 피하고 싶어서 스페인어와 서툰 영어로만 우리에게 말을 하셨는지. 겉으로 보기에는 누구보다 여유롭게 노년을 즐기는 70대 부부였다. 당연히 이런 사연이 있을 것이라고는 상상도 못 했다. 그들은 길을 걷는 목적이 너무나 뚜렷 했고 누구보다도 비장한 마음으로 하루하루를 임했다. 그래서 자신들의 목적을 이루기 전까지는 감히 자신들의 이야기를 할수 없었다. 오늘 우연히 마주치지 않았다면 내가 기억하는 그대들은 모습은 많이 달랐을 것이다.

그들의 이름과 연락처를 묻고 싶었다. 같이 찍은 사진을 보내 주고 그리고 다음에 호주나 칠레에 갈 일이 있으면 서로에게 연락하면 좋을 것 같다고. 한참 머릿속으로 고민을 하다 그냥 그렇게 하지 안겠다는 결론을 냈다. 그들의 사연을 자연스럽게 물 흘러가듯 흘려보내는 것이 더 아름다울 것 같아서. 우리는 다시 한번 뜨겁게 포옹을 하고 볼에

키스를 나눈 뒤 조심해서 돌아가라는 짧은 인사말을 남기고 각자의 길을 걸었다.

그런 생각을 해본다. 과연 그들의 아들이 이런 안타까운 일을 당하지 않았다면 70대 나이에 칠레에서 비행기로 반나절이 걸리는 이곳에 와서 순례길을 걸을 용기가 생겼을까? 그리고 아들의 죽음을 추모한다는 목적이 아니었다면, 이 길을 끝까지 걸어갈수 있었을까?

나에게 질문해 본다. 왜 이 길을 걸었어?

나에겐 그렇다 할 이유가 없었다. 그냥 떠났다. 다른 사람들처럼 대단한 목적이 있는 것도 특별한 의미를 부여하지도 않았다. 그냥 오랫동안 별생각 없이 걷고 싶었다. 그러면 내 머릿속에 난무한 생각들이 정리가 될 것 같았고 마음이 좀 더 편해질 것 같아서. 여행의 본질은 이곳에서 저곳으로 가는 게 아니라 '여기를 떠나는 것'이라는 말처럼 내가 살던 친근한 동네를 떠나 새로운 공간에서 새로운 사람들을 만나고 그들의 이야기를 들었다.

그런 대화 속에서 결국 내가 마지막으로 마주한 이는 나 자신. 어쩌면 지금까지 묻고 싶었지만 물을 용기가 나지 않았던 질문을 던져본다. '네가 지금 걷는 이 길이, 정말 네가 원하는 길이야?'. 어쩌면 이 질문에 대한 답을 찾기 위해 떠난 것일지도.

어떤 길을 선택해서 걸어야 하느냐에 대한 고민이 있던 나에게 이번 순례길은 방향이 아닌 목적에 대한 중요성을 알려주는 것 같다. 나만의 유고한 목적을 가지고 걷는 길이야말로 의미있는 삶의 방향이 아닐까?

순례길 기념품 샵에서 본 귀여운 장식품 '빨리 가는게 중요한 게 아니라 그냥 가는 자체가 중요해요' 라고 적혀있다.

당신이 일단 미지의 세계에 뛰어들면 상상하지도 못했던 것을 발견하게 될 것이다. 그것은 새로운 세상이 아니라 새로운 경험으로 완전히 달라진 자신이다

– 러셀 로버츠, 〈〈결심이 필요한 순간들〉〉

순례길 걷기를 마치고 다음날 아침 성당이 한눈에 보이는 숙소에서 따스한 햇살을 맞으며 프랑스 작가 로랑스 드빌레즈의 '모든 삶은 흐른다', Petite Philosophie de La Mer를 방 테라스에서 읽는 모습을 신띠아가 찍어줬다.

자기애의 삼각형 이론

장해월

장해월

안녕하세요, 장해월입니다. 해외에서 오래 생활하며 마치 바다 위에서 둥둥 떠다니는 해파리처럼 이리저리 다양한 문화에서 홀로 떠다니던 저는 항상 제 자신을 돌보기 위해 한껏 노력했던 것 같아요. 어쩔 때는 지나치고, 때로는 청승맞던, 다양한 과정을 지나 이제는 화분에 물을 주듯 제 자신에게 돌봄과 애정을 주는 것이 자연스러워진 제 자신이 되었습니다. 비록 한국어는 조금 서툴지만, 조심스럽게나마 제 여정을 함께 나누고 싶었습니다. 자신을 애정하고 챙긴다는 것이 생각보다 어렵다는 것 알아요. 머릿속으로는 내가 가장 우선이 되어야 한다는 걸 알고 있지만 각박한 삶 속에 휘둘리다 보면 어느새 나를 다음으로 미루고 있는 나를 발견합니다. 그런 나에 익숙해지다 보면 어디서부터 무엇을 해야 할지 잘 모르겠는 내가 있고요. 한국에 좋아하는 속담이 있습니다. 천릿길도 한걸음부터. 우리 한 걸음, 한 걸음, 조금씩 나를 위한 여정을 걸어볼까요?

instagram: @cre8.or_

"Happy birthday to me."

가벼운 마음으로 갔던 먼 이국 땅, 미국. 아직 언어도, 감성도, 그 어떤 것도 알 수 없던 중 첫 생일을 맞이했던 날이었다. 그 누구도 알아주지도, 축하해 주지도 않은 채 낮을 지나 밤이 되어버린 그날, 나는 지저분한 내 방 카펫 바닥에 손가락으로 생일 케이크를 그렸다. 동그란 케이크에 생일 초 열여섯 개, 굳이 잘하지도 못했던 영어로 불렀던 생일 축하 노래, 그리고 먼지 가득한 카펫을 한 껏 불며 빌었던 소원. 먼지가 뽀얗게 올라와 눈물과 재채기를 멈출 수 없던 그날, 난 그때 알았나 보다. 이 커다랗고 넓은 세상에, 나는 결국 홀로 외로이 서있다는 걸. 나와 항상 함께 해주고 사랑해 줄 수 있는 이는, 결국 나 하나뿐임을.

엄마는 내가 어렸을 때부터 혹시나 무슨 일이 생길까 항상 걱정이셨다고 하셨다 (실제로 내가 어릴 적에는 유괴나 아이의 실종이 번번이 일어나고는 했다). 야무지거나 똑 부러지기라도 하면 걱정이 좀 줄었겠지만, 그때의 나는 주변 친구들이 인형 놀이를 한다며 내게 팔 한 짝이 뜯어진 인형을 던져줘도, 체육시간에 장난 삼아 나를 밀어 넘어뜨려도, 그들의 의도를 잘 파악하지 못하는 맹한 아이였다. 사실 별로 관심이 없었다. 어릴 적의 나는 심각한 활자중독증이었고, 내게 필요했던 건, 또래친구가 아닌 이야기 책이었기에. 다양한 시점으로 쓰여있는 이야기 속 주인공들은 쉬는 시간의 피구나 학원 옆자리 남자아이에 대해 하루종일 이야기하는 또래 친구들보다 더 흥미진진했고, 드라마틱했다. 지금 생각해 보면 나는 그저 게을렀을 뿐일지도 모르겠다. 옆에 있는 친구들을 관찰하고 그들에 대해서 더 알아가는 것보다, 누군가 풀어 적어준 이야기 속의 인간들이 더 알기 쉬웠고, 재밌었으니까.

　이야기 책만 쥐어주면 전쟁이 일어나도 모를 것처럼 구는 나는 엄마에게 큰 걱정거리였다. "아이가 책을 지나치게 좋아해요"라는 엄마의 고민은 복에 겨운 딸 자랑 같겠지만, 실제로 엄마는 매일 동네 아주머니들에게 걱정 가득한 전화를 받으셨다고 한다. 내가 자꾸 책을 읽으면서 길을 걸어 다녀서 차에 치일까 봐 걱정이 되셨다나 (하지만 하교 길에 책을 잠시 덮을 정도의 이성이 있었다면, 나는 콕 집어 중독이라는 단어를 쓰지 않았을 거다). 그렇게 엄마는 자의와 타의 속에 어린 나를 마치 온실 속의 화초처럼 키우셨다. 흘러넘쳐나는 애정과 걱정만큼 높았던 엄마의 교육열과 과보호의 결과는 대부분 과외로 채워졌던 나의 하루였고, 몇 안 되는 학원마저 엄마는 차로 나를 데리고 다니셨다. 혹여나 엄마에게 필치 못할 사정이 있어 나를 학원에 데려다줄 수 없는 날에는 근처에 살고 계시던 이모들마저 내 학원 길에 동원되었다. 15살 겨울, 미국에 가기 전까지 내가 혼자 갈 수 있는 곳은 마을버스로 집에서 30분도 채 떨어지지 않은 학교와 교회 정도였고, 입고 다니는 사복은 모두 엄마가 위아래로 골라주는 옷들 뿐이었다. 나는 단순 일상생활에서만 의존적인 것이 아니었다. 나는 나 자신에 대해 생각하거나 고민할 겨를 없이, 엄마에게 모든 걸 맡겼다. 나란 사람의 하루, 생각, 미래까지. 그때의 나는 자아가 없었다. 엄마가 세워주는 표지판을 따라 쭉 달리면 그저 좋은 곳에 갈 수 있을 거라고만 생각했다.

그런 엄마가 15살밖에 되지 않았던 나를 미국에, 그것도 친척집도 아닌 외국인 홈스테이 집에 어떻게 보내실 수 있었던 건지는 지금도 미스터리다. 분명 그때 무언가에 씐 건 아니었을까, 하는 의문이 내 머릿속에 마치 진실인 것 마냥 자리 잡을 정도로. 20년이 지난 지금도 엄마에게 종종 물어보지만 그때마다 엄마는 내게 다른 답을 내놓으신다. "네가 한국에서 살 수 있을 것 같지가 않았어," "네가 그때 미국에 가고 싶다고 했어," "엄마는 용기가 없어서 유학을 못 갔지만, 너는 할 수 있을 것 같았어," 등등. 10번을 물으면 10번 다르게 나오는 엄마의 답변에 아직도 나는 그때 엄마가 어떻게 그런 결정을 했는지 알 수 없지만, 하나만은 분명히 알 수 있다. 그때 엄마의 선택이 없었다면, 지금의 나는 절대 있을 수 없다는 것.

8년 전 여름, 내가 한국에 돌아와서 생활하기 시작하면서 다양한 사람들에게 질문을 받았다. "너는 네가 정말 그렇게 좋아?" 그 질문의 의도는 분명 사람들마다 조금씩 달랐던 것 같다- 의아함, 부러움, 궁금함 등등. 실제로 주변 지인들에게 일대일 티타임이나 점심 데이트를 통해 너처럼 자신을 사랑하려면 도대체 뭐부터 어떻게 해야 하는지 조언해 달라고 요청받은 적도 꽤나 있었다. 그 누구의 의견보다 나 자신의 생각과 의견이 가장 중요한, 나에 대한 애정이 유난스럽게 넘치는 사람이 된 지금의 나는 어떤 이들의 눈에는 특이하고 의아한 존재인 거다. 결국 길 지언정 꼭 필요했던, 힘들었지만 없었다면 더더욱 살아남지 못했을 나의 이 여정이 누군가에게는 (오지랖일지도 모르지만) 도움이 될 수 있을까?

물론 내가 나를 유난히 좋아한다고 해서 내가 거울에 비친 내 모습에 항상 만족을 한다거나, 한 치수 늘어난 바지가 신경 쓰이지 않는다거나, 내일의 나에 대한 걱정이 없는 건 아니다. 나도 거울을 보면 눈코입의 위치 재설정이 필요하지는 않을까 고민도 하고, 1킬로는커녕 100그램에도 신경이 곤두세운다. 나의 내일은커녕 오늘도 뭘 해야 할지 모르는 날들 투성이고 가끔은 내가 어제 뭘 했는지 기억도 안 난다. 애초에 본인의 단점을 전혀 인지하지 못하는 사람들은 좀 위험하지 않을까? 그렇다면 결국 내가 나를 사랑한다는 것은 무엇일까? 그것이 무엇이길래 서점에 산처럼 쌓여있는 두껍고 얇은 책들이 독자들에게 소리 지르고 있는 걸까? 마치 소크라테스의 "너 자신을 알라"처럼, 너 자신을 사랑하라고.

나는 "나 자신을 사랑하는" 이 행위에 마치 양파처럼 다양한 레이어가 존재하고, 미로처럼 다양한 길이 존재한다고 생각한다. 그렇기 때문에 이 글을 통해 내가 하고자 하는 것 또한 이렇게 하면 누구나 할 수 있다는 자기 계발서형 형태가 될 수 없다. 결국 사람들은 개인 개인이 모두 다른 만큼, 각자 출발점도 다 다르지 않은가. 내가 민망하기 짝이 없는 내 어릴 적 이야기를 늘어놓은 데도 그게 나의 시작점이었기 때문인 거다. 한때는 엄마 없이 아무것도 하지 못했고, 나 자신의 의견보다 엄마의 의견이 더 중요했던, 그곳에서 출발한 내가 100m 앞에서 오른쪽으로 꺾으라고 소리 지르면, 누군가에게는 맞는 길일지언정 어떤 이들에게는 벽에 부딪치거나 낭떠러지로 굴러 떨어지는 잘못된 길일 것이다. 그렇다면 어떻게 해야 할까? 나는 이것에 대해 꽤나 오랜 시간을 고민해 왔고, 우선 우리는 우리가 도착하고자 하는 "나 자신을 사랑하는 것"에 대해 좀 더 자세히 알아볼 필요가 있다는 결론에다 달았다. 그리고 이 모두를 공유함에 앞서, 간략하게 고지하자면, 이건 사전적인 정의도, 학술적인 정의도, 카운슬러분들 혹은 정신과 닥터분들의 정의도 아니다. 이건 나라는 개인의 정의이고, 나에게는 잘 들어맞았으니 공유할 뿐, 나의 정의에 동의할 수 없다면, 그냥 지나쳐 가면 된다. 마치 대기실에 놓여 있는 다 해진 잡지의 연애 조언처럼.

　나는 자기애, 자기 자신을 사랑하는 것에는 3가지 요소가 있다고 생각한다: 자의식 및 자기 수용, 자존감, 자신감. 요즘 유행하는 SNS 감성글귀나 자기 계발서, 힐링을 키워드로 한 수많은 책들에서 함께, 혹은 따로, 많이 보았을 단어라고 생각한다. 나는 이 세 가지 요소들을 자기애의 삼각형이라고 부르는데, 이 삼각형의 가장 이상적인 모양은 정삼각형이다. 정삼각형에서 멀어지면 멀어질수록 기형적이게 변하기 때문에, 차근차근 각 요소씩 키워가는 게 가장 중요하다는 것이 나의 사견이다.

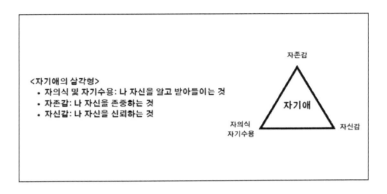

<자기애의 삼각형>
- 자의식 및 자기수용: 나 자신을 알고 받아들이는 것
- 자존감: 나 자신을 존중하는 것
- 자신감: 나 자신을 신뢰하는 것

자존감

자기애

자의식
자기수용

자신감

　각 단어들을 알아보기에 앞서, 이들에게는 크게 한 가지의 공통점이 존재한다- 다른 이가 아닌 나만이 주체로 존재하는 것. 비슷한 다른 단어와 비교하자면, "자존심"이 있겠다. 자존감과 자존심은 한 글자 차이여서 비슷한 의미로 인지하기 쉬우나, 자존감은 내가 나 자신을 존중하고 가치를 부여하는 마음인데 반해, 자존심은 다른 사람들에게 내가 존중받기를 위하여 굽히지 않고 품위를 지키고자 하는 마음에 있다. 자기 자신이 주체가 되고 중요한 자존감과는 달리, 자존심의 경우 타인이 나를 존중해 주는 것이 중요하기 때문에, 타인이 주체가 되어버린다. 내가 아무리 열심히 하고, 잘한다 해도, 다른 사람들이 그것을 인정해주지 않고, 존중해주지 않는다고 생각이 되면, 자존심이 상해버리는 것이다, 마치 한여름 길바닥에 버려진 생선처럼.

　자존심이 높다는 것이 안 좋다는 것이 아니다. 하지만 우리가 여기서 기억해야 하는 것은 타인은 결국 완벽하게 알 수도, 컨트롤할 수도 없는 존재라는 것이다. 이는 아무리 가까운 관계의 사람이어도 마찬가지다. 타인이라는 단어가 낯설고 차가워 보이지만, 결국 사람은 "자"와 "타"로 나뉜다. 가족도, 친구도, 연인도, 내가 아니면 그들은 모두 나에게 타인이다- 나 혼자 아무리 애쓰고 고민해 봐도 알 수 없는 타인. 만약 타인이 개인에게 컨트롤 가능한 영역이라면, 우리는 가까운 연인이나 친구 등 우리가 애정하는 사람들과 싸울 때마다 주변 사람들에게 조언을 구하러 다니지 않았겠지. 그렇기 때문에 자기애에 있어 필요한 요소들에 타인이 주체가 되는 단어들은 제외하는 것이 나에게는 꽤나 중요했다. 그렇다면 이제 각 요소들은 어떻게 이해하고 구분해야 할까?

자의식과 자기 수용- 이는 분명 두 다른 단어이고 콘셉트이지만 내가 이 둘을 하나로 묶은 것에는 이 둘이 결코 따로 떨어져서는 안 된다고 생각하기 때문이다. 자의식(Self-awareness)은 자기 자신이 어떤 존재인지 인지하고 자기 수용(Self-acceptance)은 알아차린 자신을 받아들이는 것에 있는데, 자기를 정확하게 인지하지 못하고 받아들이기만 한다던가, 인지한 자신을 받아들이지 못한다면, 결과적으로 그가 사랑하는 자신은 실체와는 거리가 있는 다른 존재가 될 것이다.

예를 들어보자면, 나는 외국에서 오랫동안 체류했고, 일반적으로 사춘기라고 하는 십 대를 모두 그 문화 안에서 보냈다 보니, 나의 미적 기준은 그들과 더 가깝다. 단순히 금발에 파란 눈, 입체적인 이목구비를 염원한다기보다는, 나는 "귀여운"이라는 단어보다는 "섹시한"이라는 단어가 더 잘 어울리는 사람이 되고 싶었다. 이는 150cm를 조금 넘는 키와 동글동글한 이목구비의 소유자인 (현재까지도) 나의 현실과는 슬프게도 조금 거리가 있었고, 결과적으로 나는 망사스타킹에 짧은 치마를 입어도, 시스루 원피스를 입어도 섹시한 언니는 될 수 없었다. 그렇게 나는 나 자신이 "귀여운" 사람이라는 것을 인지하고 받아들이게 된다. 그렇다고 내가 좋아하는 옷들을 입지 않는 것은 아니다. 그저 티브이 속 섹시한 언니들의 옷차림을 내가 했을 때 다른 결과치가 나온다는 것에 실망하지 않고 받아들이는 정도랄까. 자기인지와 자기 수용에서 오는 자기애는, 내가 비록 일반적으로 받아들여지는 섹시함과 거리가 있을지언정, 무리하게 노력하지 않고, 귀여운 나 자신을 부정하지 않고, 함께 귀여워함에서 온다고 생각한다. 비록 섹시하지 않아도, 괜찮은 거다, 귀여운 나에게는 또 다른 매력이 있을 테니.

실제로 한국으로 돌아와 지내던 어느 날, 평소 알고 지내던 예쁘고 섹시한 언니가 내게 "민지야, 너는 네가 귀엽다고 생각해?"라고 물었던 적이 있다. 언니가 원했던 대답이 정확히 어떤 거였을지는 알 수 없지만 나는 "네! 저는 귀엽죠!"라고 답했고, 언니는 어쩌면 그렇게 긍정적이고 자기애가 넘칠 수 있냐며 신기해했다. 그리고 나는 그런 그녀를 이해했다. 그녀는 내 서랍 속 한편에 숨겨진 섹시한 속옷들과 망사스타킹들의 존재를 알 수 없을 테니까.

"나"라는 것은 너무나도 다양하 층과 면으로 이루어져 있어, 매번 새로운 배움의 연속이다. 거기에 더해 나 자신을 알아가는 여정은 생각보다 길고 험난할 수밖에 없는 것이, 폭풍 몰아치는 사회에서 사람들은 타인에 의해 쉽게 정의되고, 그것이 진실이라고 믿은 채로 세상을 살아간다. 예를 들어, "너 살 좀 빼야겠다"라는 타인의 말에 갑자기 거울 속 나 자신이 5킬로는 더 뚱뚱해 보이는 듯이. 실제로 내가 뚱뚱한가 와는 별개로, 타인의 말이 자신을 다르게 인지하게 하는 경우가 생기는 것이다. 이러한 사회적 분위기로 인해 사람들은 자기 자신에게 박하고, 그것은 자신을 객관적으로 바라보는 일을 어렵게 한다. 그렇다면 우리는 어떻게 이 쉽지 않은 여정을 극복해 나가야 하는 것일까?

사람마다 다양한 방법과 팁이 있겠지만, 나는 이 시작이 관찰과 호기심에 있다고 생각한다. 우리는 다른 사람들을 관찰하고, 그들의 의도, 생각, 행동, 감정 등에 궁금증을 느낀다. 그리고 그 궁금증은 자연스럽게 파악으로 이어진다. 하다못해 길거리에 지나가는 모르는 사람들조차 우리는 관찰하고 궁금해한다. 자기 자신에게는 어떨까? 내가 좋아하는 음식은 왜 좋아하는지, 먹지 못하는 음식은 왜 먹지 못할지, 나는 왜 이런 책을 좋아하고 저런 영화는 좋아하지 않는지. 어렴풋이 알고는 있을지언정 "왜"를 별로 궁금해하지 않았다면, 그대는 자기 자신에 대해 좀 더 알아갈 노력을 해야 할 필요가 있다. 그리고 관찰일기를 써보자. 마치 어릴 적 방학 숙제로 썼던 식물관찰일기처럼. 그날그날 나를 관찰하며 새로 알게 되는 사실을 적어가고, 물음표를 잔뜩 던지다 보면, 나를 좀 더 이해하고 받아들이는 자신을 발견할지 모른다.

자존감– 어느 순간부터 사람들 사이에서 많이 회자되고 있는 단어다. 최근 "자존감"의 높낮이와 유무를 논하며 타인을 평가하는 일이 자주 보이는데, 흥미로운 지점은, 사람들이 타인의 자존감을 평가할 때, 그들이 생각하는 타인의 가치보다 그의 자기 평가가 높으면 자존감이 높고, 자기 평가가 낮으면 자존감이 낮다고 편히 말하는 지점이다. 타인의 자존감에 대해 코멘트를 한 적이 있다면, 한번 곰곰이 생각해 보자. 결국 내가 그들이 자기 평가가 높다 혹은 낮다고 생각했던 것은 무엇을 토대로 평가했던 것일까? 과연 나는 그들에게 공정했을까?

자존감에는 유의해야 할 요인들이 있다. 먼저 자존감에 타인이 들어서서는 안 된다. 자존감은 내가 나 자신을 얼마나 존중하고 가치 있게 생각하느냐인데, 타인의 생각, 의견, 시선등이 낄 틈이 있을 리 없다. 하지만 마치 어릴 적의 나처럼, "나"보다 타인에 더 의존하고 있는 사람이라면, 자존감을 높인다는 건 어려워질 수밖에 없는 것이다. 왜냐면 나의 가치는 항상 다른 사람이 정해줬기 때문에. 짧은 예시를 들어보자. 공부를 잘하는 나를 항상 칭찬하셨던 교육열 넘치는 엄마 밑에서 자란 내게, 나의 가치는 좋은 성적에 있었다. 성적이 나빠지면 나는 내 가치를 의심했고, 성적이 좋을 때면, 나는 내게 높은 가치를 주었다. 그렇게 성적은 나의 자존감을 좌지우지했다. 타인이 내린 가치에 지배당하는 나의 자존감은, 과연 건강한 자존감이었을까? 성적은 여러모로 생각할 바가 많은 주제다. 성적, 연봉과도 같은 결과에 자신의 가치를 두는 것이 위험하기 때문인데, 이는 슬프게도 우리의 노력과 시간이 항상 결과와 비례하지 않기 때문이다. 결과에 집중하는 것이 나쁘다는 의미가 아니다. 우리는 경쟁사회를 살고 있고, 더 나은 결과가 우리에게 더 나은 미래를 가져다줄 것이라고 어릴 적부터 배워오니까 (개인적으로 이게 결코 진리라고는 생각하지 않지만). 하지만 자기를 존중하는 이유, 가치 이유를 결과에 두는 것은 별개의 문제다. 그렇다면 우리는 무엇에 집중해야 할까? 우리는 자신이 컨트롤할 수 있는 것들에 집중해야 한다. 예를 들어, 좋은 성적을 받기 위해 내가 넣는 노력처럼. 그리고 마지막으로 나 자신의 자존감을 하나의 가치에만 의존하게 하지 말자. 단 하나의 가치에 좌지우지되기에 우리는 너무나도 다면적이고 복잡한 존재니까.

그렇다면 어디에서부터 시작하면 좋을까? 관찰일기와 비슷한 맥락이지만, 나는 리스트를 만드는 것에서 시작했다. 주변 사람들에게도 종종 추천하는 이 방법은 생각보다 간단한데, 먼저 노트에 나를 표현하는 단어들을 써 내려간다 (단어들은 꼭 긍정적일 필요도, 부정적일 필요도 없는데, 자존감이 낮을 때는 왜인지 부정적인 단어들이 더 많다). 내 리스트에 있던 표현들을 예를 들자면, "다른 사람의 눈치를 많이 본다"와 "우유부단하다"처럼. 그다음에는 적힌 단어들을 위에서부터 훑으며 부정적인 단어들을 긍정적인 단어로 바꿔 적는다. 다른 사람의 눈치를 많이 보는 나는 다른 사람들을 배려하는 내가, 우유부단한 나는 실패하지 않기 위해 신중하게 결정을 하는 내가 되어있다. 이렇게 보면 단순히 나를 무조건 긍정적으로 보고자 하는 것처럼 보일지 모르지만, 내 의도는 조금 다른 것에 있다. 사람은 단순하게도 단어에 얽매이는 경우가 있다. "우유부단한" 나에 얽매이면 그 단어의 가능성도, 나의 가능성도 거기까지다. 우리는 굳이 의문을 제기하지 않는 것이다. 반면, 긍정적인 단어로 바꿔 적기 위해서는 일련의 과정이 필요하다. 먼저 의미를 정확히 파악해야 하고, 그 원인을 파악해야 하며, 그 안에서의 가치를 찾아내야 하는 것이다. 예를 들어, 우유부단하다는 것은 "망설이기만 하느라 결정을 짓지 못하는 뜻"이라는 것을 인지하고, 왜 나는 결정을 하지 못하는 채로 망설이는 걸까?라는 질문을 던진다. 개인적으로 내가 결정을 잘하지 못하는 이유는 실패하는 것을 싫어하기 때문에, 내게 주어진 선택권과 그 결과의 베스트 시나리오와 워스트 시나리오를 모두 파악한 후 결정을 내려야 하기 때문이다. 그 과정에서 어떤 옵션이 최악 혹은 차악인지, 최선 혹은 차선인지 고민하다 보면 자연히 시간이 오래 걸리니까. 나는 이 과정을 통해 내가 결정을 함에 있어 리스크를 최소화시키는 것이 중요한 사람이라는 것을, 그렇기에 신중한 사람이라는 것을 배운다. 생각보다 이 과정은 내가 중요하게 여기는 가치를 파악하는 데 도움을 줄 뿐 아니라 나 자신을 알아가는 것에 있어서도 꽤나 도움이 된다.

자신감- 자신감이 마지막에 소개되는 데는 이유가 있다. 자신감이란 자기 자신을 믿고 신뢰하는 마음인데, 이는 자기애까지의 여정에 있어서 먼저 나를 알고, 받아들이고, 있는 그대로의 나를 존중하며, 그 이후에 신뢰해야 한다고 생각하기 때문이다. "자신감"이라는 단어는 일반적으로 지나치면 부족하니만 못한 것 마냥 부정적으로도 사용되고는 하는데, 이는 다른 비슷한 단어들, 자부심, 자만심과도 혼용되어 쓰인다. 그래서일까? 자신감이라고 하면 콧대를 한껏 높이고 몸을 한껏 부풀리는 형태로 자주 표현된다. 하지만 사전적인 의미나 사회적 통념적인 의미와는 별개로, 나에게 자신감은 항상 조금 다른 의미로 다가왔다.

나는 선택을 할 때에 자신감이 발현되어 왔다. 그리고 내가 했던 선택이 결코 긍정적인 결과를 가져다주지 않았을 때 더더욱 자신감이드 러났다. 조금 더 친절한 예와 함께 설명하자면, 우리는 왜 선택에 어려 움을 느낄까? 일반적으로 사람들이 선택을 어려워하는 이유는, 내가 가장 옳은 선택을 할 거라는 확신이 없기 때문이다. 개인이 한 선택이 결과적으로 잘못된 선택이라면 어떨까? 혹여나 잘못된 선택을 했을 때의 사람들은 그 선택을 한 것에 후회를 하고, 다른 선택을 해서 더 좋은 결과로 행복해하는 자신을 상상한다. 그리고 자기가 택하지 못한 다른 선택의 결과가 지나치게 좋은 경우, 그 상상은 잘못된 선택을 한 자기 자신에 대한 원망으로까지 이어지고는 하는 것이다. 그럼 선택에 서의 자신감의 발현이란 무엇일까? 내가 말하는 여기서 말하는 자신 감은 나는 선택과 결정들의 순간 내가 가지고 있는 모든 정보와 리소 스, 그 모든 것을 사용하여 최선의 선택을 할 것이라고 신뢰해야한다 는것이다. 나는 내가 했던 결정에 후회하지 않는다. 어제의 내가 했던 선택이 그때의 내게는 최선이었음을 의심하지 않는 것이다. 비록 오 늘의 나는 어제의 나와 다르게 선택할지라도 결코 어제의 나를 원망하 지도, 할 수도 없다. 애초에 다른 정보를 가진 오늘의 나는 어제의 나 와는 다른 존재기에. 물론 잘못된 선택과 그 결과가 아쉽지 않은 것은 결코 아니다. 나도 한낱 인간일 뿐이지 않은가. 하지만 결국 이 잘못된 선택을 통해 우리는 데이터를 얻었고, 이는 미래의 우리에게 좀 더 좋 은 선택을 할 수 있는 가이드가 될 것이다. 또한 우리는 이 신뢰를 배 신하지 않기 위해 선택 하나하나에 최선을 다하는 존재로 거듭나는 것 이다. 자신을 후회로 옭아매지 않고 한걸음 떨어져서 신뢰하는 자신감은 생각보다 자신을 굉장히 자유롭고 믿음직스러운 존재로 만들어 준다.

그렇다면 자신감을 키우기 위해 우리는 무엇을 해야 할까. 앞의 다른 요소들도 그렇지만, 자신감에는 절대적인 시간이 필요하다. 자기 자신과의 관계도 타인과의 관계와 크게 다른 바가 없기 때문인데, 예를 들어, 길거리에서 잘 모르는 누군가가 연애를 하자고 제안한다고 생각해 보자 (다른 조건적인 부분을 최대한 줄이기 위해, 외모만은 완벽한 취향이라고 전제해 보자). 얼굴만은 완벽한 이상형의 사람이 연애를 제안할 때, 어떤 생각이 들까? 설레는 마음은 둘째로 치더라도, 상대방을 신뢰해도 되는지에 대한 의문이 먼저 떠오를 것이다. 혹여나 저 사람이 나에게 도를 가르치고자 함은 아닐까, 다단계는 아닐까, 혹시나 나쁜 마음을 먹고 내게 접근한 건 아닐까? 아직 신뢰가 쌓이지 않은 사람들에게 어쩌면 나쁜 의도가 있을 수 모른다는 생각은 이 험한 세상에 당연한 수순이다. 과연 타인이 아닌 자기 자신이라고 해서 다를까? 물론 우리는 자신에게 나쁜 의도가 있었을 거라고 의심하지는 않을 수 있지만, 우리는 다른 것을 의심하게 된다- 실패하지 않는다는 자기 자신의 능력. 그렇기 때문에 우선은 파악해 보자. 마치 우리가 다른 사람을 신뢰하게 되는 과정처럼. 나라는 사람은 어떤 사람일까? 무엇을 잘하고, 무엇이 어려울까? 하나하나 알아가다 보면 자연스럽게 신뢰 또한 함께 쌓여나갈 것이라는 것은 너무 희망찬 결론일까?

자기애라는 것은 꽤나 조심스럽고 예민한 주제다. 마치 상식 혹은 진리처럼 우리는 모두 자기 자신을 사랑해야 한다는 것을 알지만, 항상 자기 자신을 원망하고 방치하는 것처럼. 이렇게 잘난 척 늘어놓지만, 나의 자기애도 결단코 항상 최고치를 찍고 있는 것이 아니다. 때로 자연재해처럼 몰려오는 삶의 고난 앞에서 나 또한 나 자신을 우선시하지 않은 채로 맨몸으로 앞에 선채 수습하기 바쁠 때가 많다. 우리는 모두 그런 삶을 살고 있지 않은가. 자기애는 결단코 고정값이 될 수 없다. 마치 아무리 친한 친구여도 가끔 얄미워 보일 때가 있는 것처럼, 사랑하는 연인도 세상 그 누구보다 미워 보일 때가 있는 것처럼. 하지만 그렇다고 해서 나를 탓할 필요도, 좌절할 필요도 없다. 마음이 조금 힘들 때는 도움을 받으면 되는 거다. 마치 감기에 걸리면 병원에 가는 것처럼.

내가 자신을 사랑해야 한다고 주장하는 이유는 들이는 노력이 같다고 전제했을 때, 나를 가장 잘 알 수 있는 것은 나 자신이기 때문이다. 아무리 열 달을 나를 품고 낳아주신 엄마라고 할지라도, 결국 엄마 또한 타인이고, 결국 내가 가장 듣고 싶은 말을 아는 사람도, 내가 가장 되고 싶은 나 자신을 아는 사람도, 그 누구도 아닌 나지 않은가. 우리는 모두 다른 사람에게 칭찬받고 인정받으며 더 좋은 사람으로 거듭나고 싶어 하지만, 카펫의 먼지투성이 케이크를 불고 있을 때의 나처럼 우리는 홀로인 순간이 간혹 예상치 못하게 찾아온다. 그리고 그럴 때 우리는 최선을 다해서 우리 자신을 돌봐야 한다. 마음껏 예뻐해줘야 하는 순간인 거다. 실수하면 용서해 주고, 잘하면 칭찬해 주고, 항상 나 자신을 최우선순위로 둔 채로, 그 누구보다 소중히 여겨줘야 한다. 처음에는 어색할지언정, 어느 순간 그렇게 되어버리는 나 자신을 발견한다. 사랑받지 못하는 나를 발견했을 때 가장 쉬운 것은 그 사랑을 주지 않은, 마땅히 그 애정을 줬어야 할 사람들을 원망하는 것이다. 하지만, 때로는 그들이 우리가 받고 싶은 사랑의 형태를, 방법을 잘 알지 못하는 경우가 대다수이다. 결국 그 모든 것들에 답을 알고 있는 것은 우리 자신이 않을까?

앞서 먼저 말했던 것과 같이, 이 글은 자기 계발서도, 요리 레시피마냥 이렇게 하면 된다는 것도 아니다. 오히려 독백에 더 가까울지 모르겠다. 하지만 이 글이 홀로 외로이 서있는 누군가에게, 그리고 태풍 앞 잔가지처럼 흔들리고 꺾여있는 사람들에게, 한 걸음 나아갈 수 있는 계기가 되기를 진심으로 바래본다.

고슴도치의 롤러 스케이트

고마오

고마오　　우연히 인간으로 태어나 삶이라는 바다에 던져졌다. 제 속도대로 느리게
　　　　　　유영하며 사는 것이 꿈.
　　　　　　파도가 온다면 기꺼이 즐기며 살아가고 싶다.
　　　　　　마주하는 소중한 순간들의 결정체를 모아 글로 기록한다. 글을 닻으로
　　　　　　사용해 쉬어가는 곳에 머물다가 다시 나아갈 힘을 얻는다.

나는 몇 번이고 자신을 죽였다. 내가 가지고 있는 모든 것들을 죽였다. 마음 속에서만 허락된 죽음이었다.

죽임을 당한 것들은 다양했다. 때로는 시간이었고, 말이었고, 가면 속의 자신이었다.

마음이 흉 질 때면 존재하지 않는 사람처럼 침대에 나를 묻었다.

외로움이 높은 파도를 타고 찾아올 때면 검은 바다에 나를 던졌다.

타성에 정신없이 휩쓸릴 때면 낙하하는 진짜 나를 붙잡지 못했다.

묻거나 던지거나 낙하한 채로 죽었다.

죽이는 횟수만큼 몸에는 가시가 생겼다. 그 수를 셀 수는 없으나 피부가 보이지 않을만큼 촘촘하게 박혔다.

가시는 조금만 닿아도 베일 것처럼 뾰족해서 내 몸의 일부인데도 함부로 만질 수 없었다.

자신조차 다가갈수 없는 존재가 되어버렸다.

마치 추위를 견디기 위해 한 덩어리가 되었다가, 서로의 가시로 떨어지기를 반복하는 고슴도치처럼.

*

고향으로 향하는 기차 안, 습관처럼 생각의 늪에 빠졌다. 나무와 산과 건물이 춤을 추듯 번갈아 바뀌었다. 풍경이 그림이 되어 창가에 걸쳐져 있었다. 그림을 진득하니 감상하기도 전에 기차가 터널 속으로 빨려 들어갔다. 창가엔 고슴도치가 되어버린 내가 앉아 있었다. 터널 속이 어두워 뾰족한 가시가 더 선명하게 보였다. 창가에 비쳐진 얼굴을 자세히 들여다보니 무표정한 얼굴이 가시처럼 따갑게 느껴졌다. 세상에 있는 모든 짐을 혼자 끌어안고 사는 사람처럼 근심 가득한 얼굴이었다. 언제부터 이런 표정을 하고 지냈는지 기억나지 않았다. 사는 게 아니라 살아내는 것 같다는 생각이 들었을 때부터인가? 아니면 철저히 혼자 살기로 결심했던 때부터인가? 해사하게 웃던 소녀는 어디가고 괴물 같은 사람이 앉아 있었다. 그 모습을 보니 멜랑꼴리한 감정이 폭설처럼 내렸다. 기차는 목적지를 향해 달려가는데 나는 생각의 늪이 아닌 감정의 늪에 빠져버렸다.

삼십 대가 되면 감정에 동요되는 일 없이 노련해질 줄 알았다. 그런데 아니었다. 에너지를 분출하는 방법이 달라졌을 뿐 속에서는 날 것 그대로의 감정들이 날뛰었다. 즐거움을 대하거나 우울함을 대할 때 '어이- 왔어?' 하고 천연덕스럽게 맞이하기는 커녕 분노했다. 파도가 아닌 직선의 모양을 한 감정을 갖고 싶었지만 여전히 나는 나였다.

그저 무던하게 살아가기를 희망하는 지금과 달리 이십 대에는 감정의 격동기를 보냈다. 기쁘면 기쁜 대로 슬프면 슬픈 대로 솔직하게 토해냈다. 감정을 표현한 게 문제가 되지는 않았는데 힘든 일이 생길 때마다 주변 사람에게 의지한 게 문제였다. 그로 인해 어쩌면 숱한 이별들을 겪게 되었는지도 모르겠다.

버릇처럼 의지했던 연인이 있었다. 시발점은 아버지에게 병이 생겼다는 소식을 들었을 때부터였다. 전화기 너머 걱정하는 어머니의 목소리를 듣고 괜찮을 거라고 의연하게 말했지만, 심장은 바닥으로 곤두박질쳐졌다. 불안함이 젤리처럼 심장으로 엉겨 붙어 주워 담는 것도 쉽지 않았다. 마침내 주워 담아도 불안함은 곧 온몸을 덮쳤다. 몇 해 전 병으로 돌아가신 할아버지가 떠올랐기 때문이었다. 생은 뭐가 그리 급한지 별안간 다양한 이유로 끝을 재촉한다.

아버지의 병은 감정의 분화구가 되었다. 할아버지와는 병명도 달랐고 관리하면 괜찮아질 것이라는 의사의 말에 일말의 희망을 품었지만, 자신을 방치하는 아버지를 발견하고 희망을 버렸다. 미움과 분노만이 남아 고향에 내려가는 것도 꺼려졌다. 아버지가 자신을 방치한 것처럼 나도 아버지를 방치했다. 그로 인해 죄책감과 우울감이 짙어지는 날에는 연인의 품에 안겨 끝도 없이 울었다. 눈물은 호수가 되어 감정을 분출할수록 깊어졌다. 연인이었던 그에게 의존하는 날이 늘어날수록 호수는 넓어졌다.

그는 점차 나를 버거워했다. 좋았던 일보다 좋지 않았던 일을 오래도록 기억하는 뇌의 영향 때문인지 그가 힘들어하는 모습만 눈에 밟혔다. 아버지에 대한 고민이나 걱정을 토해내는 날에는 초반과 달리 지친 표정을 하는 그를 봤다. 나라도 그랬을 것이다. 감정의 들쭉날쭉함을 받아들이는 것을 어느 순간부터는 힘겨워했을 것이다. 정서적 교감으로 감정적 연결은 되었을지라도 관계를 유지하는데 걸림돌이 된다고 느꼈을 것이다. 서로의 성장에 도움이 되지 않음에 함께 할 수 없음을 직감했을 것이다. 아마도 그랬을 것이다. 미루어 짐작하는 생각들로 관계를 차츰 정리하기 시작했다. 그의 어두운 표정을 관계의 끝맺음을 결정해야 하는 신호로 받아들였다.

사랑하는 마음이 말보다 앞섰지만 입 밖으로는 이별을 고했다. 관계의 종착지를 이별로 정한 것은 서로의 안녕함을 바라서였다. 그에게 기댈 때면 불안도 두려움도 사라졌지만 만남을 지속해 상처를 주고받는 날들이 늘어나게 된다면 바라는 바를 이룰 수 없을 것 같았다. 이별 후 생을 통째로 잃은 것처럼 멍청하게 서있게 될 것이 눈에 선했지만 최선을 선택 했다. 최선의 선택이라 믿고 싶었다. 내게 이상적인 관계란 그런 것이었다. 상처를 주지도 받지도 않는 무동력 관계. 연인에게 버림을 받고 심장이 망가져 비둘기를 방패 삼아 사는, 영화 '나 홀로 집에 2'의 여인처럼. 나아가는 것보다는 도망치는 것을 택했다. 고슴도치가 되어버릴 것을 각오했는지도 모르겠다.

기차는 어둠을 뱉어 터널을 누비는 데 고슴도치는 어둠을 삼키고 몸집을 키웠다. 선로에 부딪히는 기차 바퀴 소리가 따갑게 귓바퀴에 감겼다. 거꾸로 돌아가는 듯한 바깥 풍경은 급하게 산 역방향 좌석으로 인해 연출되었다. 마주 보고 앉아야 하는 중간 좌석이라 부담스러웠지만 어쩔 수 없는 노릇이었다. 옆자리에 앉은 사람은 체구가 커서 자꾸 팔걸이를 넘어왔고 앞자리에 앉은 사람은 안방처럼 다리를 뻗었다. 뒷좌석에서는 아이의 울음소리가 들려왔다. 아이는 크리스마스 선물로 갖고 싶은 장난감을 사달라며 칭얼거렸다. 순간 노이즈 캔슬링 이어폰이 개발된 시대에 살아 다행이란 생각이 들었다. 플레이 리스트를 고민하다가 캐럴을 틀었다. 크리스마스 노래는 구겨진 마음을 펴기에 충분했다. 음악을 타고 즐거운 마음을 실어 날랐다. 덕분에 노선이 변경되어 생각의 늪을 향하는 기차를 탔다. 동력은 노래고 기차표는 일기장이면 충분했다.

연말이 되면 그해를 어떻게 보냈는지 점검하는 시간을 가졌다. 연초에 계획했던 일 중에 끝까지 마무리 지은 일이 있었는지, 잘하고 못한 것은 무엇이었는지를 가려 점수를 매겼다. 자칭 '연말 성적표'다. 학생 때 시험을 치르고 나면 성적표를 받기 전 두려움이 앞서 보지 못했는데 성인이 되어도 똑같았다.

연말 외 성적표를 받게 되는 순간이 또 있다. 매해 찾아오는 일 년에 단 한 번뿐인 날. 생일이다.

언제부턴가 생일을 '인간관계 성적표'를 받는 날로 지정했다. 생일이면 축하 메시지를 보낸 사람과 보내지 않은 사람들로 인해 기분이 들쭉날쭉해졌다. 바빠서 깜빡할 수도 있는 걸 서운해했다. 그저 태어났을 뿐인 날을 특별하게도 여겼다. 자신에게만 기념되는 날을 남들도 알아줬으면 하는 마음에서였을까? 정확한 이유는 알 수 없지만 나이를 먹을수록 인간관계를 넓혀나가기보다 정리하게 되는 일이 많아져 점검하기 시작했다.

기준은 심플했다. 계속해서 관계를 유지하고 싶은지 한때 소중했던 시절 인연으로 남겨둘 것인지에 따라 정리했다. 그 사람과 함께하는 시간이 아깝지는 않은지, 집에 돌아오는 길에 충분히 기분이 좋은지를 보고 내게 좋은 사람인지로 유지의 유무를 파악했다. 오랜 시간 동안 연락이 없다가 결혼한다는 친구의 갑작스러운 연락이 계기가 된 것은 아니었다. 그런 연락은 잘 지낸다는 증표 같아서 오히려 반가웠다.

사회인이 되기 전에는 생일에 친구들과 모여 축하 파티를 하고 받은 선물을 SNS에 올려 자랑하기도 했다. ' 주변 사람들에게 충분히 사랑받고 있어. 태어나서 행복해 '를 과시하기 위함도 있었던 것 같다. 20대 초반까지의 나는 사람들에게 사랑받는 것으로 자신의 존재 가치를 확인했다. 인정욕구의 무게가 관계에 쏠려있었다. 집에서는 장녀로 태어나 예쁨을 받고 자랐고 부모님의 양가에서도 장녀로 태어나 할아버지, 할머니, 삼촌, 이모, 고모까지 사랑을 독차지한 존재였다. 학교를 다닐 때도 어려움 없이 친구를 사귀었다. 친구들은 왠지 모르게 나를 좋아해줬다. 내게는 너무나 익숙한 사랑이었다.

사랑을 받으니 기대에 부응해야겠다고 생각했다. 실망하게 하는 일을 만들지 않으려고 노력했다. 타인에게 받은 인정을 계속 받고 싶어서, 그 사랑을 잃고 싶지 않아서 그랬던 것 같다. 오로지 관계 속에서 타인이 판단하는 나를 가치 있게 바라봤다. 조금의 의심도 없이.

사랑에 익숙한 삶을 살았는데 어쩐지 상처받는 일이 더 많아졌다.

좋아하는 지인에게 나를 다 내어줄 것처럼 마음을 퍼줘도 돌아오는 것은 상처였다. 한때는 영원할 것처럼 친했던 지인과의 절교가 상처였는지도 모르겠다. 그녀는 행동이 느린 나를 자주 타박했다. 열일곱의 나는 말을 하는 것도 행동하는 것도 느렸다. 느린지도 모르고 살았는데 어떤 이들은 나를 나무늘보 같다고 했다. 빠르게 하려고 노력도 해보았으나 잘 안되었다. 세상에서 빠르게 무언가를 하는 게 가장 어려운 일이었다. 함께 급식을 먹던 어느날, 그녀는 식사를 마치고 아직 다 먹지 못한 나를 기다리고 있었다. 재촉하듯 시계를 보더니 별안간 일어나 가버렸다. 나는 멀뚱히 그녀의 뒷모습을 쳐다봤다. 그 뒤로 그녀는 나를 피했다. 인사를 해도 말을 걸어도 받아주지 않았다. 그때는 무슨 잘못을 했었는지 알 수 없었다. 지금 생각해 보면 시간을 뺏기는 게 싫었을 수도 있었을 것 같았다. 눈치 없이 천천히 밥을 먹는 내가 미웠을 수도 있었을 것 같았다. 초등학교 때부터 알고 지낸 인연이기에 각별한 사이로 여겼었다. 사소한 균열로 어그러지는 관계를 경험하고 상실감에 괴로워 잠 못 이루던 열일곱의 내가 있었다.

우정은 곁에 머물며 마음을 내어주는 일이라고 생각했다. 원할 때는 언제든지 갈 준비가 되어있어- 하는 마음가짐이었다. 기념일을 빠짐없이 챙겨주고 약속 장소를 알아보거나 배려하거나 양보하는 건 언제든 내 쪽이 되어도 괜찮아- 였다. 약속 장소에 늦으면 하고 싶었던 일을 하고 있으면 되니까, 다소 상처를 주는 마음에 걸리는 말을 하더라도 그럴 수 있지로 지내왔다. 그러다가 주는 마음만큼 받지 못하면 서운해하는 일이 더러 생겼다. 상대방이 나와 같은 마음이 아닌 것을 인정하지 못하고 괴로워하기도 했다. 그럴 일은 아니었는데 일희일비하는 일이 많아졌다. 내가 나를 괴롭히고 있는 것을 발견했다. 그럼에도 묵묵히 내버려두었다. 이상하게 가까워지려고 하면 멀어졌다. 소중하게 생각하면 잃게 되는 저주라도 걸린 것인지. 전생에 죄라도 지은 것인지. 마음을 열고 다가설 때마다 관계는 자주 어그러졌다.

'인간관계 성적표'는 시간이 지남에 따라 가치관이 바뀜을 나타낸 증표이기도 했다. 인간관계에서 겪은 실패 경험을 자양분 삼아 자신을 덜 드러내는 방향으로 사람을 태도가 바뀌기도 했다. 일종의 방어기제였다. 매번 그럴 때마다 아파할 수는 없는 일이니 나름의 대책을 마련했다. 관계에 조금 냉소적으로 태도를 취하기로 했다. '상처를 주지도 받지도 않는다'라는 규칙도 만들었다. 결국 마지막까지 내 편은 나 하나뿐이라는 생각이 들었다. 그래서 홀로서기에 최선을 다했다. 자신과 친하게 지내니 사람에 기대는 일도 적어졌다. 더 이상 누군가가 필요하다는 생각이 들지 않았다. 정말 상처를 안 받았다. 부작용이 있다면 마음에는 철옹성 같은 벽이 생겼다. 어쩌면 내 몸에 돋아난 가시의 일부는 마음의 벽으로 탄생한 것인지도 모르겠다.

〈우리 열차는 잠시 후 ㅇㅇㅇ역에 도착하겠습니다〉

귀에 익은 멜로디와 함께 목적지에 곧 도착한다는 안내 방송이 들렸다. 손목에 채워진 시계를 보니 출발한 시각에서 30분도 지나지 않았다. 원래대로라면 목적지까지 2시간이 걸리는 게 정상이었다. 시계는 배터리가 다되었는지 시곗바늘이 제자리에 멈춰 앞으로 나갈까말까 망설이고 있었다. 핸드폰을 보니 예상 도착 시각이었다. 객실 모니터에 목적지에 도착했다는 안내 문구까지 보고 나서야 안심했다. 창밖으로는 흰 눈이 춤을 추듯 내렸다. 6개월 만의 고향 방문이었다.

*

고향에 내려온 이유는 A의 갑작스러운 연락 때문이었다. A는 대학생 때 레스토랑 아르바이트를 하며 알게 된 인연이었다. A 외에 아르바이트를 함께한 2명의 친구 B, C도 15년 동안 인연을 이어왔다. 모임에 이름을 붙이기도 했는데 각자의 이름 이니셜을 따서 만들었다. 예를 들면 ABCD와 같이 나열하는 식이었다.

우리는 알고 지내온 시간 동안 사회인이 되었고 누군가의 아내가 되었고 엄마가 되었다. 각자의 삶으로 바쁘더라도 매년 서너 번은 만났고 연말에는 모임을 가졌다. 그해 연말, 4인 모임을 하기 전에 A가 둘이 보자며 연락을 해왔다. A의 연락이 반가우면서도 한편으론 의아했다. 아니, 놀랐다. A가 단둘이 만나자고 한 건 처음이었다. 15년만에 말이다!

나와 A 외에 B, C까지 우리는 성격이 다른 듯 비슷했다. 모두 내향인이라 친한 사이라도 단둘이 만난 날은 15년 통틀어 손에 꼽았다. 다른 친구가 바쁘면 3명이 함께 만난 날은 있어도 둘이 만나는 일은 잘 없었다. 단둘이 만나면 할말을 찾아내느라 곤욕을 치르기도 했다. 겉으로 티를 내지 않았지만 머릿속은 바쁘게 움직였다.

긴장되는 마음을 가지고 레스토랑에 들어갔다. A는 반갑게 웃으며 인사를 했다. 해사하게 웃는 모습이 꼭 달처럼 예뻤다. 나는 과장되게 웃으며 인사를 했다. 식사하는 동안 A는 뜸을 들이더니 직장을 곧 그만두게 될 것 같다고 얘기했다. 그리곤 이내 아쉬운 표정을 지었다. 두 아이의 엄마로 지내온 A는 육아와 일을 병행하고 있었다. 아직 싱글인 나는 엄두도 안 나는 세계의 일을 해내고 있는 것이었다.

" 너는 좋겠다. 혼자서도 하고 싶은 대로 잘 지내고. 떠나고 싶을 때는 훌쩍 여행도 떠나고. 부러워. 나도 하고 싶은 게 많은데 쉽지 않아. 아무래도 혼자가 아니니까. "

A의 말 중에 '부럽다'라는 말이 걸렸다. 나 역시 남편 그리고 두 아이와 함께 지내고 있는 A의 안정감이 부러웠기 때문이었다. 나는 늘 혼자였다. 혼자서 잘 지내지만 잘 지낸다고 하기에는 걸리는 것들이 많았다. 혼자서 마음대로 다할 수도 있지만 혼자서 하는 게 전부였다. 망망대해에서 고독과 사투를 벌이는 은둔자 같았다. 쓴웃음을 삼키고 직장을 그만두면 뭘 하고 싶으냐고 A에게 물었다. A는 노래도 배우고 싶고 그림도 그리고 싶다고 했다. A는 무언가 그리워하는 것처럼 아련한 표정을 짓고 이야기를 덧붙였다.

" 하고 싶은 게 많았던 것 같은데 요새는 기억이 잘 나지 않아. 사실 내가 뭘 좋아했는지도 잘 모르겠어. "

"있잖아. A. 나도 잘 기억나지 않아서 요즘 이것저것 시도 하고 있어. 경험을 통해 나를 발견하기도 하지만 아닐 때도 많아. 그럴 땐 그냥 나와 잘 지내는 시간을 갖는 것에 의미를 둬. 가끔 혼자만의 시간을 가져보는 건 어때? 너를 돌보는 시간으로 말이야."

"그거 알아? 결혼하고 나니 혼자만의 시간이 되게 어색해졌어"

이상했다. 내가 알던 A가 아니었다. 스무 살 무렵의 A는 자신의 꿈을 향해 망설임 없이 전진하는 전사였다. 어느날은 영어 공부가 하고 싶어 1년간 필리핀으로 훌쩍 어학연수를 떠났다. 나와 친구 B, C는 도대체 한국에 언제 오냐며 싸이월드 댓글로 투정을 부렸다. 또 어떤 날은 어느 가수의 앨범 커버 그림을 페이스북에 올렸는데, 알고 보니 A가 그린 그림이었다. 나와 영화 취향이 비슷해서 밤새도록 신나게 떠든 날도 있었고 언젠가 영화를 만들고 싶다는 포부를 밝히는 날도 있었다. 그럴 때마다 A의 눈동자가 보석처럼 반짝거려서 나도 같이 설렜다. 그런 A가 자신을 잃은 듯한 표정을 하고 앉아 있었다. 안쓰럽게도 깊은 상실감에 짓눌려 있는 것처럼 보였다. A는 긴 시간 동안 침묵하다가 무언가를 발견한 사람처럼 서랍에 있던 말을 꺼냈다.

" 대학교 때 좋아하던 친구가 있었어. 음악 취향도 비슷했고 하고 싶은 것도 비슷했어. 한동안 연락이 끊겼고 최근에 연락했는데 공무원이 되었더라. 내가 알던 시절의 그 친구는 어느 날엔가 자신의 꿈을 향해 홀연히 자퇴할 줄 알았는데. 꿈이 변한 친구를 보니 마음이 이상했어. 내가 그 친구에게서 보고 싶었던 모습은 그게 아니었는데 말이야. ˮ

그 말을 듣자 뜨끔했다. 나 역시 A를 보고 싶은 모습대로 보고 있는 것은 아닐까? 의구심이 들었기 때문이었다. 시간이 무섭게 흘렀고 상황도 대학생 때와는 달라졌다. 변한 것은 당연했고 파도에 휩쓸리듯 살아온 날들도 있는 거였다. 까무룩 잊게 되는 날도 있는 거였다.

ˮ 있잖아. A. 그 친구에게서 보고 싶었던 모습은 어쩌면 네가 되고 싶었던 모습 아니었을까? 본다고 하는 것들이 사실은 보고 싶은 것들만 보는 것일 수 있잖아. 달의 이면을 모르고 있는 것처럼 말이야. 우리는 상대방에게는 달 같은 존재인 채로 살아가고 있어. 속에는 많은 것들은 숨긴 채로 말이야. 네가 그 친구를 통해 이상한 마음이 들었다는 건 네가 원하는 것을 찾았다는 의미 아닐까? ˮ

진지하게 말하면서도 식은땀이 났다. 생각보다는 말이 앞섰다. A에게 내뱉고 있는 말들은 사실 나에게 해주고 싶은 말이었다. 말하는 순간에 깨닫게 되었고 바보 같은 날들이 겹겹이 떠올랐다. 자신을 죽이고 고슴도치가 되어버린 나는 상처를 받기 싫어 관계의 지속을 거부했고 단절만이 살 길이라 외쳤다. 두려움에 '나 홀로 집에 2'의 비둘기 여인처럼 도망쳤다.

　사실 비둘기 여인이 사랑의 기회가 올 때마다 상처를 받지 않기 위해 도망쳤다고 했을 때 캐빈은 그녀에게 이렇게 말했다.

　『기분 나쁘게 듣지는 말아주세요. 하지만 그건 정말 어리석은 짓이에요. 이해해요. 롤러 스케이트가 있었죠. 부서질까 겁이 나서 상자에 깊이 감춰뒀어요. 그래서 어떻게 되었게요? 결국 작아져서 못 신었어요. 2번밖에 못탄채. 상처가 두려워 사랑을 피하고 마음을 닫으면 내 스케이트 꼴이 돼요. 결과가 좋지 않을 수도 있어요. 도전해 봐요. 잃을 건 없어요. 실패를 두려워하면 사랑을 못 해요. 』

　캐빈은 비둘기 여인을 따뜻하게 바라봤다. 친구의 증표로 산비둘기 장식품을 선물하며 영원히 잊지 않겠다는 말로 그녀를 포근하게 안아줬다. 아니, 나를 안아줬다. A를 만나러 오기 전 쌓아 올렸던 단단하고 두꺼운 벽이 순식간에 무너져 내렸다. A가 A의 친구를 통해 보고 싶은 모습을 보는 것으로 자신에 대해 깨달았듯이 나도 A를 통해 나를 발견했다.

　" 있잖아. A. 전부터 궁금한 게 있었어. 우리 사이에 묘한 선이 있는 것 같았거든. 혹시 이유가 있을까? "

　A는 생각에 잠기는 듯했다. 독립적인 성격을 가진 친구였다. 혼자

만의 사유를 즐길 줄 알았고 자신만의 영역이 확실했다. A의 선을 넘지 않기 위해 조심했던 날들도 있었고 선을 넘기 위해 다가선 날들도 있었다. 마음의 성으로 들어가기 위함이었다. 속상해하는 날에는 가만 이야기를 들어주었고 갑작스레 만남을 제안하는 날에는 한달음에 달려갔다. 기쁜 날에는 꽃을 선물하며 축하의 이야기를 나눴다. A가 필요로 할 때면 옆에서 곁을 내어주는 사람이 되어주고 싶었다. 그래서 만나자는 연락에 놀랍지만 반가운 마음으로 고향에 올 수 있었다. 문득 A가 15년만에 먼저 만나자고 한 이유가 궁금해져 물었다. A는 조금 쑥스러운 표정을 지었다.

"나는 누군가에게 마음을 열기까지 정말 오래 걸려. 조심스럽기도 하고 먼저 다가서는 게 걱정되기도 해. 그런데도 주변에 나를 챙겨주는 사람이 많더라고. 새삼 고마움을 느꼈고 더 늦기 전에 표현하고 싶었어. 그래서 만나자고 한 거야. 고마워"

A는 가방에서 무언갈 꺼내더니 선물이라며 내밀었다. 그때 몸에 난 가시가 움찔거리는 것을 느꼈다. 언젠가 바닷속에 던져버린 가면 속의 내가 수면 위로 붕 뜨는듯했다. A가 쑥스럽게 건넨 선물보다 고맙다는 말이 가슴에 박혔다. 고맙다는 말은 살면서 제법 들어왔지만 태어나 처음으로 듣는 말 같았다. 그동안 들어온 고마워는 안녕, 잘자 같은 인사처럼 느껴졌다. 진심이 담긴 고마워는 따뜻함을 넘어서 뜨거웠다. A의 눈동자를 바라봤다. 윤이 나는 눈동자였다. 여전히 스무 살 무렵의

전사가 가진 눈빛을 하고 있었다.

집으로 돌아가는 기차 안, 지나온 시간 동안 내게 도움을 주었던 고마운 얼굴들이 윤곽을 드러내고 있었다.

*

유치원 때 산타 할아버지로 분장한 사람을 보고 울었던 기억이 있다. 유치원에서 크리스마스 시즌이 되면 아이들에게 선물을 주기 위해 이벤트를 열었다. 부모님께 전달받은 선물을 아이들에게 산타 할아버지가 나눠주는 거였다. 교실 한쪽에는 천장에 닿을 듯한 커다란 트리가 놓여 있었고 그 앞에는 산처럼 선물 상자가 쌓여 있었다.

선물을 받으려면 착한 일을 많이 해야 한다는 어머니의 말을 귀에 박히도록 들었다. 그 말이 생각이 나서 그해에 했던 착한 일을 손가락을 꼽아 세어보았다. 걱정스러운 마음을 안고 자리에 앉아 있는데 어디선가 산타 할아버지가 나타나 "Merry Christmas!" 허허허 웃으며 인사를 했다. 친구들은 순식간에 산타 할아버지 주변으로 모여들었다. 선물을 받으며 너도나도 기쁨의 비명을 지르는 와중에 나는 별안간 울음을 터트렸다. 산타 할아버지가 책이나 영화에서 봤던 모습과는 다르기 때문이었다. 내가 알던 산타 할아버지는 배도 나왔고 웃을 때면 빨간 코와 볼이 도드라졌는데 그는 아니었다. 배도 나오지 않았고 코도 볼도 빨갛지 않았다. 심지어 까만 뿔테 안경까지! 저 할아버지는 가짜야! 라며 굵은 눈물방울을 뚝뚝 떨어뜨렸다. 우는 아이에게 선물을 주지 않는다는 말이 생각나서 더 서럽게 울었다. 선물을 못 받을까 봐 불안했기 때문이었다.

다행히 퉁퉁 부은 눈으로 선물을 받았는데 집에 와서 어머니에게 가짜 산타 할아버지가 왜 선물을 주냐고 물었다. 그랬더니 어머니는 진짜 산타 할아버지가 바빠서 다른 할아버지가 대신 심부름 온 거라고 했다. 그 말이 6살에게는 꽤 강력하게 다가왔는지 그 후로 크리스마스 이브가 되면 동생들 머리맡에 선물을 두고 모른 척 잠을 잤다.

세 살 터울의 동생이 밑으로 세명이었다. 어느 순간부터 부모님이 크리스마스를 챙기지 않았는데 동생들을 실망시키기 싫은 마음에 산타 흉내를 냈다. 10살이 되던 해에 준비한 선물은 문구용품이었다. 일곱 살과 네 살인 동생을 위해 준비했다. 한 살짜리 동생에게는 뭘 줘야 할지 몰라서 생략했다. 동생들은 아침에 일어나 선물을 확인하고 의심의 눈초리로 내게 물었다.

" 첫째 언니! 이 선물 언니가 넣어둔 거지? 다 봤어! "

일곱 살 짜리 동생이 앞장서 얘기하면, 네 살짜리 동생이 그 옆에서 배를 내밀며 똑같이 따라 말했다. 어머니가 가짜 할아버지를 봐서 심통이 난 내게 설명했을 때와같이 나는 어색한 표정을 지었다.

" 언니가 준 게 아니고 산타 할아버지 심부름한 거야 "

동생들은 그제야 매섭게 뜬 눈을 풀더니 선물을 확인하고 까르르 웃었다. 그때의 따뜻한 추억이 마음에 사진처럼 선명하게 남아있었다. 크리스마스가 되기 전 들뜨는 마음은 그 시간 속에 있던 가족에 대한 기억 때문인지도 모르겠다. 무언가를 기다리는 마음으로 크리스마스를 기다려왔다. 어묵탕 속의 무가 뭉근하게 익어가기를 기다리는 마음과 같았다. 잘 익은 무를 한 입 베어 물면 달큰한 향이 기분 좋게 올라왔다. 식감은 부드러워서 별 탈 없이 목구멍을 타고 내려가 위장에 안착했다. 국물을 한 모금 마시면 온몸이 뜨뜻하게 데워졌다. 내게 가족은 사무치게 추운 겨울을 데워주는 든든한 어묵탕 같은 존재였다.

서른 직전에는 도망치듯 혼자 여행을 떠났다. 현실로부터 도피였다. 공황장애와 우울증을 끌어안고 아무도 나를 모르는 곳으로 떠났다. 철저히 혼자가 되면 상처받을 일은 생기지 않을 터이니. 더 철저히 혼자가 되자 다짐했다. 눈 덮인 한라산을 겁도 없이 혼자 오르기로 결심했다. 몸이 힘들면 잡생각을 하지 않을 것 같았다. 나를 괴롭히는 생각에서 벗어나고 싶은 마음뿐이었다. 겨울 등산은 처음이라 무얼 준비해야 할지 몰랐다. 평소처럼 컨버스 운동화를 신고 미끄럼을 방지하는 아이젠을 신발 밑창에 고정한 게 전부였다.

과거의 나에게 말을 걸 수 있다면 정신 차리라고 말하고 싶다. 뜯어말리고 싶은 대책 없음이다.

다행이었던 것은 등산과 운동을 자주 하는 편이라 산을 오르는 게 힘들지는 않았다. 문제는 눈이었다. 눈이 제법 쌓여 발목까지 발이 빠졌다. 평평한 곳은 오르는 데는 문제가 없었는데 올라갈수록 경사가 심해져 미끄러웠다. 설상가상으로 시간이 지날수록 신발과 양말이 젖어 축축해졌다. 아슬아슬하게 산을 오르던 그때 뒤에서 들려오는 낯선 여자의 음성이 나를 붙잡았다.

" 컨버스를 신고 등산하시다니 대단하시네요! 미끄럽지 않으세요? "

나는 그 말을 듣자마자 그 여자분을 붙잡고 울고 싶었다. 일면식도 없는 나를 이타심으로 감싸준 말이었다. 그 따뜻함에 가시 돋친 마음이 울컥거렸다. 난감한 사정을 알아주는 게 더없이 반가웠다. 나라면 무관심하게 지나쳐 내 갈 길 가는 데 충실했을 거다. 바닥만 보고 걸었을 거다. 그런데 그분은 바닥이 아닌 위를 올려다보았다. 묵묵히 자신만의 길을 걷지 않았다. 풍경을 살피고 배려를 발휘했다. 그녀의 친절에는 일말의 망설임도 경계심도 없었다. 그녀는 잠시 멈춰보라며 나를 한쪽으로 앉혔다. 양말을 벗어서 신발 바깥으로 신으면 덜 미끄러울 거라는 이유 때문이었다. 어리둥절하게 바라보자 신는 방법을 알려주었다. 신발 위로 양말을 신고 바닥 면에 아이젠을 씌우는 방법이었다. 고무로 되어 있는 신발 밑창에 섬유를 대어 미끄럼을 방지하는 원리였다. 머릿속에 종이 딩하고 울렸다. 그녀는 쿨하게 웃으며 '등산 잘

하세요!' 하며 먼저 올라갔다. 고수의 냄새를 풍기는 그녀의 조언 덕분에 미끄러지지 않고 정상에 올랐다.

백록담을 바라보며 두 뺨에 닿는 차가운 공기를 만끽한 뒤 나는 또 하나의 문제를 발견했다. 백록담을 오르기 위해서는 계단을 올라야 했다. 계단 옆 밧줄을 붙잡고 등 하산하도록 되어 있었다. 오르는 것은 어렵지 않았는데 내려가는 것은 미끄러움이 배가 되어 미끄럼틀을 타듯 내려가야 했다.

해가 지기 전에 하산해야 하는데 속도가 좀처럼 나지 않았다. 그때 뒤에서 낯선 이의 목소리가 들려왔다. 고개를 돌려보니 중년 남성분이었다. 그러다가 언제 내려갈 거냐고 타박하듯 말을 거셨다. 그의 뒤로는 초등학생쯤 되어 보이는 아들 둘과 부인 분으로 보이는 여성분이 신기하게 나를 바라보고 있었다. 난감한 미소로 화답하자 중년 남성분은 등산 스틱을 내게 건넸다. 많이 가져와서 남는다며 빌려주신다는 거였다. 그리고 자기들과 함께 내려가자는 말을 덧붙였다. 하산이 막막하던 때에 그의 말이 가슴에 걸렸다. 장장 8시간이 걸렸던 한라산에서의 사투는 등산과 하산을 할 때 만난 고마운 사람들 덕분에 따뜻함으로 물들었다. 하얀 눈발이 쏟아지는 날이면 그날의 마음 온도가 떠올라 슬며시 미소 짓는다. 눈은 내게 핫팩 같은 기억이 되었다.

불과 몇 개월 전에는 직장 동료에게 마음의 위로를 받았다. 일을 마치고 가깝게 지내는 직장 동료와 삼삼오오 모여 술자리를 종종 가졌다. 우리는 꽤 자주 술자리를 가지며 서로의 인생에 대한 고민을 얘기하고 위로했다. 그날도 그런 날이었다. 술잔을 채워주며 농담과 진담을 오가던 그런 날, 직장 동료가 내게 말했다.

"당신은 겉으로는 되게 단단해 보이는데 속이 여려서 걱정스러워요."

그 말을 듣고 단단해지려고 세운 가시가 부러진 느낌을 받았다. 누구에게도 들키고 싶지 않은 모습이 들켜버린 것 같았다. 최선을 다해 부정했다. 그리고 집으로 돌아와 펑펑 울었다. 1년 만에 눈물을 흘렸던 날이었다. 이상한 핑계들로 나를 보호하려 애쓰던 보통의 날들을 보내며 울음을 억지로 삼켜왔었다. 그런 나의 마음을 읽어버린 직장동료의 말에 눈물이 터져버렸다. 가시 속의 숨겨진 무른 마음을 알아주는 게 고마웠기 때문이었다.

연약함을 들키는 게 약해지는 일은 아니었다. 나를 연약하게 만드는 건 강한 척 애쓰는 나 자신이었다. 가시를 만들어 애쓰는 고슴도치처럼. 가시를 세우고 누구도 내 영역에 침범하지 못하도록 날을 세웠다.

한때 나는 모래처럼 빠져나가는 삶을 놓고 싶다는 생각마저 했다. 우울함이 범람해 나를 괴롭힐 때 더 이상 아무것도 하고 싶지 않다는 생각. 그냥 놓인 시간의 선로에 몸을 내던져 흘러가는 대로 살도록 내버려두기도 했다. 나를 방치했다. 자신도 방치하고 사람도 방치하니 곳곳에 놓여진 행운을 놓쳤다. 캐빈이 타지 못한 롤러 스케이트처럼 말이다.

잃어버린 롤러 스케이트처럼 주변의 소중한 지인들의 존재를 망각했다. 그러면서 잘난 사람이 된 것처럼 더는 상처받지 않겠다며 인간관계 성적표를 만들어두고 철저히 혼자 지내겠다고 다짐했다. 그러면서 상처받는 일이 생기면 '이거 봐 섬처럼 지내길 잘했지?' 하면서도 실상은 외로움에 괴로워했다. 나를 꾸며대면서도 마음은 허전했다. 혼자 잘 지내왔지만 혼자 잘 지내왔다고 할 수는 없었다. 나는 무엇이든 되었지만 무엇이든 될 수 없었던 것이다.

타인을 미워하는 마음은 엉켜버린 실타래다. 어디서부터 잘못되어 엉켜버린 것인지 알 수 없다. 하나의 대상이 아니라 여러 대상에게 생긴 서운한 마음이 여기저기서 얽힌다. 알면서도 풀지 못하는 숙제 같은 감정이다. 뭉친 감정은 잘못된 방향으로 뻗어나간다. 사소한 균열이 생길 때 이상한 트집을 잡고 미워하기 시작한다. 때때로 매몰되어 함정에 빠진다. 내게 좋은 사람인지 아닌지 구분하는 힘도 사라져 버리고 만다. 생일 선물로 받은 롤러 스케이트를 깜빡하고 잃어버린 것과 같다. 소중히 하지 않으면 잃어버리고 만다. 나는 나의 내면이 단단해지는 것에 집중한 나머지 타인과의 견고함은 놓쳤는지도 모른다. 부드러워지는 법을 놓쳤는지도 모른다. 그래서 관계가 연약해졌는지도 모른다.

켜켜이 쌓인 말들과 오해를 망망대해에 띄워 보낸다. 흩어지고 사라져 보이지 않을 때까지. 밤이 깊어서 보이지 않았던 등대를 발견할 때까지. 불은 상대방이 켜서 밝아질 수도 있지만 내가 가진 손전등으로 비춰볼 수도 있는 거다. 그저 존재를 사랑하기로 한다. 한 번도 상처받지 않은 것처럼.

여전히 고슴도치인 나의 모습을 부정하지 않는다. 그러나 미리 겁먹을 필요는 없다고 자신에게 얘기해주고 싶다. 그저 숨기거나 잃어버리는 일 없이 롤러 스케이트를 잘 타자고. 세상에 나가 주변 곳곳에 피어있는 예쁜 꽃들을 구경하고. 바람이 불면 부는 대로 마주하자고 되뇌어본다. 상처를 주는 사람은 그런대로 두고 상처를 알아봐 주는 사람 곁에서 웃으며 살아가면 되지 않을까?

길었던 겨울을 끝내고 봄을 기꺼이 맞이하고, 날이 맑아지면 꽃내음을 따라 원 없이 걷고, 하늘이 주황빛으로 물드는 때에는 소중한 사람과 나란히 앉아 한강에 스며드는 그림자를 봐야지. 목련의 황홀한 마지막을 추억하고 벚꽃을 따라 여행해야지. 구멍 난 마음을 틈 없이 메꿔봐야지. 그 다음의 크리스마스에 혼자 보내도 같이 하는 순간들은 놓치지 말아야지– 와 같은 다짐들을 해본다. 스스로 건 저주를 스스로 풀어본다.

쉼표의 입장

발행 2024년 5월 10일

지은이 김수인, 진희원, 브리에나 최, 장해월, 고마오

라이팅리더 현해원

디자인 윤소정

펴낸이 정원우

펴낸곳 글ego

출판등록 2019.06.21 (제2019-000227호)

주소 서울시 강남구 강남대로 118길 24 3층

이메일 writing4ego@gmail.com

홈페이지 http://egowriting.com

인스타그램 @egowriting

ISBN 979-11-6666-486-1